Risotto

Christine Ingram

Risotto

Plus de 80 recettes autour d'un grand classique

Sélection
Champagne
inc.

Édition originale publiée en 1999 au Royaume-Uni
par Anness Publishing Limited, Hermes House
88–89 Blackfriars Road, London SE1 8HA
sous le titre *Risotto, over 80 recipes for a classic dish.*

© Anness Publishing Limited 2000

Pour l'édition originale :
Responsable éditoriale : Joanna Lorenz
Éditrice : Sarah Ainley
Assistante d'édition : Jenni Fleetwood
Maquettiste : Penny Dawes
Index : Vicki Robinson
Photographies : Dave King (recettes) et David Jordan (découpages et techniques)
Sujets à photographier : Jennie Shapter (recettes) et Sara Lewis (découpages et techniques)
Recettes : Carla Capalbo, Kit Chan, Roz Denny, Rafi Fernandez, Silvana Franco, Deh-Ta Hsiung,
Shezad Husain, Christine Ingram, Soheila Kimberley, Masaki Ko, Elizabeth Lambert Ortiz,
Ruby Le Bois et Sallie Morris
Styliste : Jo Harris

Pour l'édition française :
© 2002 Manise, une marque des Éditions Minerva
(Genève, Suisse)
Connectez-vous : www.lamartiniere.fr

Traduit de l'anglais par Delphine Nègre

ISBN : 2-84198-185-1
Dépôt légal : avril 2002

Imprimé à Singapour

Distribué par
Sélection Champagne Inc.
Montréal, Québec
(514) 595-3279

SOMMAIRE

INTRODUCTION

« Risotto », un mot chargé de rondeur
et d'onctuosité, à l'image même de la délicieuse
spécialité italienne qu'il désigne. L'arôme
vient en premier, avec ses effluves de vin,
de bon bouillon et d'herbes aromatiques.
Puis la texture, caractérisée par des grains de
riz tendres et gonflés mais révélant une agréable
fermeté au centre. Enfin, le goût, variable
selon les ingrédients qu'on y ajoute, mais
toujours délicieux. Et pour couronner le tout,
le risotto est un plat qui se prépare facilement.
Il nécessite une certaine attention, soit, mais
qui se limite à remuer le riz une demi-heure
durant jusqu'à ce qu'il soit parfaitement cuit.

L'HISTOIRE DU RISOTTO

Ce plat tout simple venu d'Italie trouve ses origines dans le milieu paysan et, tout comme la *cucina povera*, connaît un renouveau depuis que l'on s'attache à manger sainement et de façon équilibrée. Aujourd'hui, le risotto figure sur la carte de certains des plus grands restaurants d'Italie, et s'apprécie toujours pour les mêmes raisons : son excellente valeur nutritionnelle et sa saveur incomparable. Or, il n'y a rien de plus simple à faire qu'un risotto. Même s'il existe des versions particulièrement élaborées et sophistiquées, certains des meilleurs risottos ne consistent qu'en une combinaison de riz, de bon bouillon et de fines herbes ou de fromage. Ces risottos tout simples, tel le *risi e bisi* (riz aux petits pois) ou le *risotto alla parmigiana* (riz au fromage), figurent peut-être parmi les plus communs mais ils n'en sont pas moins savoureux.

Le risotto constituant à l'origine le plat des pauvres, il n'existe aucun recueil de recettes traditionnelles. Les livres de cuisine écrits en Italie à l'époque des premiers risottos faisaient surtout cas des viandes de qualité et des épices rares, et s'adressaient essentiellement aux personnes suffisamment riches pour se procurer de tels ingrédients. Les paysans et les fermiers n'avaient ni le temps ni l'aptitude, ni encore le goût, de lire ce qu'ils savaient déjà : que le riz était nourrissant et bon marché, et qu'il était fort bon quand on savait le préparer.

Le riz à grains courts, ingrédient central du risotto, se cultive en Italie depuis plusieurs siècles. Ce sont les Arabes qui introduisirent le riz en Sicile et dans le sud de l'Italie au Moyen Âge, mais il s'agissait alors d'une variété à longs grains. Au fil du temps, le riz fut introduit en Lombardie, dans le nord de l'Italie, et au XVe siècle, sa culture était devenue tout à fait courante. C'est à cette époque que l'on prit l'habitude en Italie de cultiver le riz dans des champs inondés. Cette méthode de culture s'inspirait de celle utilisée en Asie, contrairement au procédé de culture sèche prisé par les Arabes.

Aujourd'hui, l'Italie partage avec l'Espagne le rang de premier producteur de riz d'Europe. Les riz à risotto croissent dans le nord du pays, où les rizières sont irriguées grâce à l'eau des Alpes. Les différentes variétés qui existent à l'heure actuelle ont été améliorées, mais le grain court et farineux caractéristique est toujours le même.

Le mode de cuisson du risotto s'inspire de la cuisine française et espagnole mais, que ce soit par hasard ou à dessein, il est difficile d'imaginer une façon plus appropriée de rendre justice à un bon riz que de le servir sous forme de risotto.
Le risotto se consomme généralement tel quel, entre la viande et les légumes. Le riz et le bouillon sont les deux ingrédients essentiels, mais il convient de les choisir avec soin. Le bouillon doit être fait maison (ou d'excellente qualité) et le riz doit être réservé à cet usage. Il suffit de faire bouillir le bouillon dans une casserole posée à côté de celle destinée au risotto, et de l'ajouter

progressivement. Respectez bien le temps de repos final, car il permet d'obtenir un riz parfait. En suivant ces quelques instructions, vous découvrirez que le risotto est un plat aussi simple à préparer que satisfaisant à déguster.

Les différents types de riz

Il est indispensable d'utiliser du riz à risotto, mais la variété est une question de goût personnel. Les riz à risotto de marque sont de plus en plus fréquents dans les magasins, mais l'on trouve aussi de simples paquets avec la mention « riz à risotto italien ». Parmi les marques, le riz Arborio est le plus commun, suivi de près par les riz Carnaroli et Vialone Nano. Au nombre des autres variétés figurent les riz Baldo, Vialone Nano Gigante et Roma. Chacune a des qualités particulières, que les amateurs de risotto connaissent bien. Certaines recettes exigent un riz d'une marque spécifique, mais la plupart s'accommodent de n'importe quel riz à risotto.

RISOTTOS INSTANTANÉS
On trouve dans les épiceries fines comme dans les supermarchés différents risottos instantanés. Ils sont très faciles à préparer : il suffit d'ajouter de l'eau, de chauffer et de remuer. Les paquets recommandent de laisser mijoter environ 10 minutes (à peu près la moitié du temps nécessaire à un risotto classique). Les risottos instantanés sont disponibles dans diverses saveurs, dont quatre fromages, épinards, safran, tomate et encre de seiche. Très pratiques pour un repas rapide, ils sont aussi très jolis à servir. En outre, ils sont étonnamment savoureux.

Ci-contre : risottos instantanés à l'encre de seiche, à la tomate, au safran et aux épinards.

LES CLÉS D'UN BON RISOTTO

1 Dans une grande casserole, faites revenir à feu moyen l'oignon, l'ail et tout autre légume dans de l'huile d'olive vierge extra pendant quelques minutes, sans cesser de remuer. Sauf indication contraire, l'oignon et les autres légumes doivent être tendres mais non dorés.

2 Si vous utilisez de la viande ou de la volaille non cuite, ajoutez-la aux oignons, sauf indication contraire. Augmentez le feu et faites cuire jusqu'à ce qu'elle soit bien dorée sur toutes ses faces, en remuant fréquemment.

3 Versez le riz à risotto en pluie dans la casserole et remuez afin de bien l'enduire d'huile. Faites revenir 3 à 4 min à feu vif sans cesser de remuer. Vous remarquerez que les grains de riz deviennent transparents, sauf le centre qui reste opaque.

NOTES
1 cuil. à café = 5 ml,
1 cuil. à soupe = 15 ml,
1 tasse = 250 ml
Sauf indication contraire, employez des œufs de taille moyenne.

4 Ajoutez un peu de vin si la recette l'indique, ou bien une louche de bouillon chaud. Remuez jusqu'à ce que tout le liquide soit absorbé.

5 Baissez à feu moyen, puis ajoutez une nouvelle louche de bouillon chaud et remuez. Le risotto doit être maintenu à un stade de très légère ébullition, mais sans risque de brûler. Remuez fréquemment.

6 Ajoutez le reste du bouillon louche par louche, en veillant à ce que chaque louche soit absorbée avant de verser la suivante. Comptez environ 20 min pour ce faire. Les grains de riz vont commencer à s'amollir et à coller.

7 Dès que le risotto a l'air crémeux, râpez le fromage ou rajoutez du beurre. Le riz doit être très tendre, mais encore un peu ferme au centre. À ce stade, retirez la casserole du feu, couvrez-la d'un torchon et laissez reposer environ 5 min. Le risotto achèvera sa cuisson dans la chaleur ambiante.

CONSEILS
• Pour commencer, faites revenir le riz dans l'huile chaude sans cesser de remuer, jusqu'à ce que les grains commencent à devenir transparents.
• Ajoutez le vin ou le xérès avant de verser le bouillon. L'alcool s'évaporera en laissant un goût caractéristique.
• Utilisez un bon bouillon maison pour votre risotto. Vous pouvez aussi acheter du bouillon frais en brique, dans les épiceries fines ou les hypermarchés.
• Le bouillon versé dans le risotto doit toujours être très chaud. Laissez-le frémir dans une casserole pendant toute la cuisson du risotto.
• Ajoutez le bouillon de façon progressive, louche par louche. Assurez-vous que le liquide est entièrement absorbé avant de verser la louche suivante.
• Évitez de trop cuire le risotto. Retirez la casserole du feu quand le riz est encore un peu ferme.
• Pour un résultat optimal, assaisonnez le risotto en fin de cuisson, mais avant de le laisser reposer. Le bouillon, le beurre salé et le parmesan sont déjà assez salés : goûtez toujours le risotto avant de rajouter du sel.
• N'utilisez pas de parmesan déjà râpé. Pour un goût optimal, achetez du parmesan de qualité et râpez-le vous-même.

Matériel

Seuls trois ustensiles sont indispensables à la préparation du risotto. Avec un peu de chance, vous les possédez déjà.
• Une casserole à fond épais. Dans l'idéal, elle doit être large, à bords droits et suffisamment profonde pour contenir le risotto cuit. On peut aussi utiliser une sauteuse pour les petites quantités.
• Une cuillère en bois.
• Une casserole pour le bouillon.

INCORPORER LES INGRÉDIENTS

Les recettes vous indiqueront quand incorporer les ingrédients dans le risotto, mais voici quelques conseils de base pour un risotto improvisé.

Légumes L'ail et l'oignon se font dorer dans l'huile au tout début, avant d'ajouter le riz. La plupart des autres légumes, comme les aubergines, les carottes, les courgettes et le poivron, se font revenir avec les oignons. Les légumes qui nécessitent une cuisson rapide, comme les épinards et les asperges, doivent être incorporés en fin de cuisson. Les champignons se font cuire en même temps ou juste après les oignons.

L'ail et l'oignon sont les ingrédients de base d'un bon risotto. Pour varier, utilisez de l'oignon rouge ou des échalotes.

Les légumes verts frais, comme les courgettes, les épinards et les asperges, ajoutent de la texture au risotto. Ils conservent leur forme et leur couleur à la cuisson et sont toujours très esthétiques.

Poisson et fruits de mer Ceux-ci sont cuits au préalable. Les filets de poisson (saumon, carrelet ou bar) sont souvent pochés, puis émiettés. Les coquilles Saint-Jacques doivent être légèrement poêlées, puis émincées. Incorporez le poisson ou les fruits de mer dans le risotto aux trois quarts de la cuisson.

Saumon, haddock, carrelet, crevettes... Tous les poissons et fruits de mer ou presque peuvent agrémenter un risotto.

Viande et volaille On les ajoute le plus souvent au début, en même temps que les oignons. Le riz est incorporé plus tard, afin de cuire en même temps que la viande. Toutefois, les viandes cuites comme la saucisse ou le jambon sont généralement incorporées en fin de cuisson.

Les filets de poulet et de gibier font partie des ingrédients les plus utilisés dans le risotto, mais le choix est infini. Coupez la viande en petits cubes et faites-les revenir avec les oignons avant d'incorporer le riz.

Fines herbes Les herbes robustes sont parfois cuites avec l'oignon, mais les herbes plus délicates, comme le persil ou la coriandre, s'ajoutent de préférence en fin de cuisson, en même temps que le parmesan ou le beurre.

Les fines herbes aux saveurs subtiles, comme le thym, la sauge, la coriandre et l'estragon, suffisent à parfumer un risotto.

Fromage Quand le fromage est un ingrédient essentiel, comme dans le risotto aux quatre fromages, on l'ajoute à mi-cuisson, mais le plus souvent, on incorpore du parmesan râpé juste avant de laisser reposer le risotto.

La plupart des fromages conviennent, mais le parmesan est le plus couramment utilisé. Employez-le tout seul pour une saveur simple ou en accompagnement d'autres ingrédients. Des copeaux de parmesan frais pourront servir à garnir le risotto, à moins que vous ne fassiez circuler un bol de parmesan fraîchement râpé.

PRÉPARER LE BOUILLON

Bouillon de volaille

POUR 1,5 L ENVIRON

INGRÉDIENTS

    1 oignon coupé en quatre
    2 branches de céleri hachées
    1 carotte grossièrement hachée
    675 g environ de poulet frais
      (1/2 poulet ou 2 à 3 quartiers
      de poulet)
    1 brin de thym ou de marjolaine frais
    2 brins de persil frais
    8 grains de poivre
    sel

1 Mettez les légumes préparés dans une grande casserole à fond épais et posez le poulet dessus. Mouillez d'eau froide de façon à recouvrir la volaille (1,5 l environ).

2 Portez doucement à ébullition, sans couvrir. Quand l'eau bout, écumez la graisse qui se forme en surface.

3 Ajoutez les fines herbes, le poivre et une pincée de sel. Baissez le feu, couvrez et laissez frémir 2 h à 2 h 30, jusqu'à ce que le poulet soit tendre.

4 À l'aide d'une écumoire, transférez le poulet dans une assiette. Retirez la peau et les os et conservez la chair pour une autre recette. Passez le bouillon dans un saladier, laissez-le refroidir et gardez-le au frais dans le réfrigérateur.

5 Une couche de graisse se formera à la surface du bouillon froid. Retirez-la juste avant utilisation. Le bouillon peut se conserver jusqu'à 3 jours au réfrigérateur ou 6 mois au congélateur.

Fumet de poisson

POUR 2,5 L ENVIRON

INGRÉDIENTS

    900 g d'arêtes et parures de
      poissons blancs (sans les ouïes)
    2,5 l d'eau
    1 oignon grossièrement haché
    1 branche de céleri hachée
    1 carotte hachée
    1 feuille de laurier
    3 brins de persil frais
    6 grains de poivre
    un zeste de citron d'environ 5 cm
    7,5 cl de vin blanc sec

1 Mettez les arêtes, têtes et parures de poisson dans une grande casserole à fond épais et ajoutez l'eau.

2 Portez le liquide à ébullition en écumant régulièrement la surface. Ajoutez l'oignon, le céleri, la carotte, le laurier, le persil, le poivre, le zeste de citron et le vin blanc.

3 Baissez le feu et couvrez la casserole. Laissez mijoter doucement 20 à 30 min, puis laissez refroidir.

4 Passez le bouillon refroidi dans une étamine. Conservez le bouillon 2 jours au réfrigérateur ou 3 mois au congélateur.

CONSEIL

Ne laissez pas le fumet de poisson bouillir trop longtemps car les arêtes se désintégreraient et parfumeraient désagréablement le bouillon.

Bouillon de légumes

POUR 1,2 L ENVIRON

INGRÉDIENTS

    3 à 4 échalotes coupées en deux
    2 branches de céleri ou 75 g de
      céleri-rave haché(es)
    2 carottes grossièrement hachées
    3 tomates coupées en deux
    3 brins de persil frais
    1 brin d'estragon frais
    1 brin de marjolaine ou de thym frais
    un zeste d'orange d'environ 2,5 cm
    6 grains de poivre
    2 baies de poivre de la Jamaïque
    1,5 l d'eau

1 Réunissez tous les légumes dans une casserole à fond épais. Ajoutez les fines herbes, le zeste d'orange et les épices. Mouillez avec l'eau.

2 Portez le liquide à ébullition, puis baissez le feu et laissez frémir pendant 30 min. Laissez refroidir complètement.

3 Passez le bouillon au tamis dans un saladier, en pressant les légumes avec le dos d'une cuillère pour extraire tout le jus. Conservez le bouillon 3 jours au réfrigérateur ou jusqu'à 6 mois au congélateur.

RECETTES

Le risotto, loin d'être un plat unique, constitue le point de départ de nombreuses recettes, depuis la simple association de riz et de parmesan jusqu'aux combinaisons plus élaborées d'ingrédients comme le bacon, les mini-courgettes et les poivrons, ou encore le potiron et les pistaches. Certains des meilleurs risottos n'incluent que des légumes, mais les fruits de mer et la viande se marient également très bien au riz. Quelques ingrédients plus insolites, comme le chocolat et le champagne, entrent dans la composition de certaines recettes. Sans oublier les plats « tout-en-un » comme le biryani, la paella, le riz pilaf et le jambalaya, tous cousins du risotto italien.

CROQUETTES DE RIZ À LA MOZZARELLA

CES DÉLICIEUSES BOULETTES DE RISOTTO FRITES PORTENT LE NOM DE SUPPLI AL TELEFONO DANS LEUR PAYS D'ORIGINE. FARCIES À LA MOZZARELLA, ELLES CONSTITUENT UN EN-CAS TRÈS APPRÉCIÉ DES ITALIENS.

POUR 4 PERSONNES

INGRÉDIENTS

1 portion de risotto au parmesan
  ou de risotto aux champignons
3 œufs
chapelure et farine, pour la panure
120 g de mozzarella coupée
  en petits cubes
huile à friture
salade frisée et tomates cerises
  assaisonnées, pour la garniture

1 Mettez le risotto dans une jatte et laissez-le refroidir complètement. Battez deux œufs et incorporez-les au risotto froid.

2 Avec les mains, formez des boulettes de riz de la taille d'un œuf. Si le mélange n'est pas assez ferme pour conserver sa forme, incorporez quelques cuillerées de chapelure. Avec le doigt, faites un trou au centre de chaque boulette, et remplissez-le de quelques cubes de mozzarella. Refermez le trou.

3 Chauffez l'huile jusqu'à ce qu'un petit morceau de pain grésille dès qu'il est plongé dedans.

4 Étalez un peu de farine dans une assiette. Battez l'œuf restant dans un bol peu profond. Étalez la chapelure dans une autre assiette. Roulez les boulettes dans la farine, puis dans l'œuf et enfin dans la chapelure.

5 Faites-les frire, quelques-unes à la fois, jusqu'à ce qu'elles soient bien dorées. Égouttez-les sur du papier absorbant pendant que vous cuisez les autres. Servez bien chaud, avec une salade toute simple de frisée et de tomates cerises.

CONSEIL
Voici une excellente façon d'accommoder un reste de risotto. Ces boulettes, en effet, se préparent avec un risotto froid cuisiné la veille.

SOUPE DE RIZ AUX ÉPINARDS

UTILISEZ DE TRÈS JEUNES POUSSES D'ÉPINARD POUR PRÉPARER CETTE SOUPE AUSSI LÉGÈRE QUE SAVOUREUSE.

POUR 4 PERSONNES

INGRÉDIENTS

675 g de jeunes feuilles d'épinard
　lavées
3 cuil. à soupe d'huile d'olive
　vierge extra
1 petit oignon finement haché
2 gousses d'ail finement hachées
1 petit piment rouge frais épépiné
　et finement haché
225 g de riz à risotto
1,2 l de bouillon de légumes
sel et poivre noir fraîchement moulu
copeaux de parmesan ou de pecorino,
　pour la garniture

1 Mettez les épinards lavés et non égouttés dans une grande casserole. Ajoutez une bonne pincée de sel. Faites chauffer à feu doux jusqu'à ce que les épinards ramollissent, puis retirez du feu et égouttez en réservant le jus de cuisson.

2 Hachez finement les épinards avec un gros couteau de cuisine ou passez-les au mixeur jusqu'à obtention d'une purée grossière.

CONSEIL
Achetez le parmesan ou le pecorino chez un bon crémier, afin qu'il ait du goût et soit facile à râper au couteau économe.

3 Chauffez l'huile dans une grande casserole et faites revenir l'oignon, l'ail et le piment 4 à 5 min à feu doux. Incorporez le riz et remuez bien, puis mouillez avec le bouillon et le jus de cuisson réservé. Portez à ébullition, baissez le feu et laissez mijoter 10 min.

4 Ajoutez les épinards et assaisonnez à votre goût. Prolongez la cuisson de 5 à 7 min, jusqu'à ce que le riz soit tendre. Vérifiez l'assaisonnement et servez dans des bols chauffés, garni de copeaux de fromage.

AUBERGINES FARCIES AU RISOTTO ET SAUCE TOMATE ÉPICÉE

LES AUBERGINES SONT UN LÉGUME IDÉAL POUR CONCOCTER DES RECETTES ORIGINALES. ICI, ELLES SONT REMPLIES D'UNE FARCE DE RIZ ET CUITES AVEC UNE GARNITURE DE FROMAGE ET DE PIGNONS.

POUR 4 PERSONNES

INGRÉDIENTS
- 4 petites aubergines
- 7 cuil. à soupe d'huile d'olive
- 1 petit oignon haché
- 175 g de riz à risotto
- 75 cl de bouillon de légumes chaud
- 1 cuil. à soupe de vinaigre de vin blanc
- 25 g de parmesan fraîchement râpé
- 2 cuil. à soupe de pignons

Pour la sauce tomate
- 30 cl de passata épaisse ou de purée de tomates
- 1 cuil. à café de pâte de curry douce
- 1 pincée de sel

1 Préchauffez le four à 200 °C (th. 7). Coupez les aubergines en deux dans la longueur et évidez-les. Badigeonnez les peaux avec 2 cuil. à soupe d'huile et faites-les cuire 6 à 8 min sur une feuille de papier sulfurisé posée sur du papier aluminium froissé.

2 Hachez la chair des aubergines. Chauffez le reste d'huile dans une casserole et faites revenir la chair d'aubergine et l'oignon 3 à 4 min à feu doux. Ajoutez le riz et le bouillon et laissez mijoter environ 15 min à découvert. Ajoutez le vinaigre.

CONSEIL
Si les peaux d'aubergine ne tiennent pas droit, tronquez légèrement le dessous.

3 Augmentez la température du four à 230 °C (th. 8-9). Remplissez les peaux d'aubergine de farce au riz et recouvrez de fromage et de pignons. Faites dorer 5 min au four.

4 Pour faire la sauce, mélangez la passata ou la purée de tomates avec la pâte de curry dans une petite casserole. Chauffez le tout et salez. Répartissez la sauce dans quatre assiettes et disposez deux moitiés d'aubergine dans chaque.

GALETTES DE RIZ AU SAUMON FUMÉ

CES ÉLÉGANTES GALETTES SONT À BASE DE RISOTTO. VOUS POUVEZ SAUTER LA PREMIÈRE ÉTAPE SI VOUS DISPOSEZ D'UN RESTE DE RISOTTO AUX FRUITS DE MER OU AUX CHAMPIGNONS. VOUS POUVEZ ÉGALEMENT UTILISER UN RESTE DE RIZ À LONGS GRAINS ET LE PARFUMER AVEC DE L'OIGNON NOUVEAU.

POUR 4 PERSONNES

INGRÉDIENTS

2 cuil. à soupe d'huile d'olive
1 oignon moyen haché
225 g de riz à risotto
environ 6 cuil. à soupe de vin blanc
environ 75 cl de fumet de poisson ou
    de bouillon de volaille
2 cuil. à soupe de cèpes séchés,
    trempés 10 min dans l'eau chaude
1 cuil. à soupe de persil frais haché
1 cuil. à soupe de ciboulette fraîche
    ciselée
1 cuil. à café d'aneth frais haché
1 œuf légèrement battu
environ 3 cuil. à soupe de farine de
    riz, plus un peu pour saupoudrer
huile à friture
4 cuil. à soupe de crème fraîche
175 g de saumon fumé
sel et poivre noir fraîchement moulu
salade de feuille de chêne et de
    trévise à la vinaigrette

1 Chauffez l'huile dans une poêle et faites revenir l'oignon 3 à 4 min. Ajoutez le riz et remuez jusqu'à ce que les grains soient bien enduits d'huile. Versez peu à peu le vin et le bouillon, et continuez à remuer à feu doux jusqu'à ce que chaque louche soit absorbée avant d'ajouter la suivante.

2 Égouttez les champignons et hachez-les en petits morceaux. Une fois le riz cuit et le liquide entièrement absorbé, incorporez les champignons, le persil, la ciboulette, l'aneth et l'assaisonnement. Retirez du feu et laissez refroidir quelques minutes.

CONSEIL
Pour les grandes occasions, garnissez les galettes de riz de jeunes pointes d'asperge poêlées, de rondelles de citron et d'aneth.

3 Ajoutez l'œuf battu, puis incorporez suffisamment de farine de riz pour lier le mélange (il doit être mou mais malléable). Farinez-vous les mains et formez quatre galettes d'environ 13 cm de diamètre et de 2 cm d'épaisseur.

4 Faites frire les galettes de riz 4 à 5 min, jusqu'à ce qu'elles soient bien dorées sur les deux faces. Égouttez sur du papier absorbant et laissez refroidir légèrement. Mettez chaque galette sur une assiette et garnissez d'une cuillerée à soupe de crème fraîche. Déposez deux ou trois fines tranches de saumon fumé roulées dessus et servez avec la salade.

BOUCHÉES DE RISOTTO À LA TRUITE ET AU JAMBON DE PARME

CETTE RECETTE CONSTITUE UN PLAT UNIQUE PARTICULIÈREMENT RAFFINÉ.

POUR 4 PERSONNES

INGRÉDIENTS

    4 filets de truite sans peau
    4 tranches de jambon de Parme
    câpres, pour la garniture
Pour le risotto
    2 cuil. à soupe d'huile d'olive
    8 grosses crevettes crues
      décortiquées, veine ôtée
    1 oignon moyen haché
    225 g de riz à risotto
    environ 10 cl de vin blanc
    environ 75 cl de fumet de poisson ou
      de bouillon de volaille très chaud
    2 cuil. à soupe de cèpes ou de
      chanterelles séché(e)s, trempé(e)s
      10 min dans de l'eau chaude
    sel et poivre noir fraîchement
      moulu

2 Ajoutez l'oignon haché dans l'huile de la poêle et faites fondre 3 à 4 min à feu doux. Ajoutez le riz et remuez 3 à 4 min jusqu'à ce que les grains soient bien enduits. Mouillez avec 5 cuil. à soupe de vin, puis avec le bouillon, louche par louche, en remuant à feu doux. Assurez-vous que le liquide est bien absorbé avant de verser la louche suivante.

4 Retirez la casserole du feu et incorporez les crevettes. Préchauffez le four à 190 °C (th. 6-7).

5 Prenez un filet de truite, déposez une cuillerée de risotto et roulez. Enveloppez chaque rouleau d'une tranche de Parme et déposez-les dans un plat à four beurré.

1 Commencez par faire le risotto. Chauffez l'huile dans une casserole à fond épais ou une sauteuse et faites revenir brièvement les crevettes jusqu'à ce qu'elles commencent à rosir. Retirez-les à l'aide d'une écumoire et réservez-les dans une assiette.

3 Égouttez les champignons et réservez l'eau de trempage. Coupez les plus gros en deux. En fin de cuisson, incorporez les champignons dans le risotto avec 1 cuil. à soupe d'eau de trempage. Si le riz n'est pas encore *al dente*, rajoutez un peu de bouillon ou d'eau de trempage et prolongez la cuisson de 2 à 3 min. Salez et poivrez à votre goût.

CONSEIL

Il n'y a pas de règle absolue quant au type de risotto à employer dans cette recette. Libre à vous d'essayer une autre variété de risotto, sachant que ceux à base de légumes ou de fruits de mer seront particulièrement adaptés.

6 Remplissez le plat du reste de risotto et arrosez avec le vin restant. Couvrez de papier aluminium et enfournez 15 à 20 min, jusqu'à ce que le poisson soit tendre. Dressez le risotto dans un plat de service, les bouchées sur le dessus, et décorez de câpres. Servez aussitôt.

PAUPIETTES DE POULET FARCIES

CES DÉLICIEUSES ET INHABITUELLES PAUPIETTES SONT TRÈS FACILES À FAIRE, MAIS SUFFISAMMENT SOPHISTIQUÉES POUR UN DÎNER RAFFINÉ, EN PARTICULIER SI VOUS LES DRESSEZ SUR UN LIT DE TAGLIATELLE AUX CHAMPIGNONS DES BOIS.

POUR 4 PERSONNES

INGRÉDIENTS

25 g de beurre
1 gousse d'ail hachée
150 g de riz à risotto
3 cuil. à soupe de ricotta
2 cuil. à café de persil plat frais
  haché
1 cuil. à café d'estragon frais haché
4 blancs de poulet sans peau ni os
3 à 4 tranches de jambon
  de Parme
1 cuil. à soupe d'huile d'olive
12 cl de vin blanc
sel et poivre noir fraîchement moulu
brins de persil plat, pour la garniture
tagliatelle cuites et pieds-bleus
  sautés, pour l'accompagnement
  (facultatif)

1 Préchauffez le four à 180 °C (th. 6). Faites fondre 10 g de beurre dans une petite casserole et faites revenir l'ail quelques secondes sans le laisser dorer. Réservez.

CONSEIL

Dans ce plat, on peut remplacer le risotto par du riz blanc à longs grains. Celui-ci a une consistance différente et donnera une farce moins dense.

2 Ajoutez le riz, la ricotta, le persil et l'estragon. Salez et poivrez, puis remuez bien.

3 Mettez chaque blanc de poulet entre deux feuilles de film transparent et aplatissez-les en les battant légèrement à l'aide d'un rouleau à pâtisserie.

4 Répartissez les tranches de jambon sur les blancs de poulet, en coupant le jambon si nécessaire.

5 Déposez une cuillerée de riz sur l'extrémité la plus large du blanc de poulet et roulez soigneusement. Fixez avec de la ficelle de cuisine ou un pic à cocktail.

6 Chauffez l'huile et le reste de beurre dans une poêle et faites revenir légèrement les paupiettes jusqu'à ce qu'elles soient dorées sur toutes leurs faces. Déposez-les côte à côte dans un plat à four et arrosez-le de vin blanc.

7 Couvrez le plat de papier aluminium et enfournez 30 à 35 min, jusqu'à ce que le poulet soit tendre.

8 Découpez les paupiettes en rondelles et servez-les sur un lit de tagliatelle et de pieds-bleus sautés. Poivrez généreusement et garnissez de brins de persil plat.

RISOTTO AU POTIRON ET AUX PISTACHES

*LES VÉGÉTARIENS TROUVERONT DANS CE RISOTTO UN PLAT À LA FOIS ÉLÉGANT ET NUTRITIONNEL,
ASSOCIANT DU RIZ DORÉ ET CRÉMEUX À DU POTIRON. POUR UNE TOUCHE RAFFINÉE,
SERVEZ-LE DANS LA PEAU ÉVIDÉE DU POTIRON.*

POUR 4 PERSONNES

INGRÉDIENTS
    1,2 l de bouillon de légumes
      ou d'eau
    une généreuse pincée de stigmates
      de safran
    2 cuil. à soupe d'huile d'olive
    1 oignon haché
    2 gousses d'ail écrasées
    900 g de potiron pelé, épépiné
      et détaillé en cubes de 2 cm
    400 g de riz à risotto
    20 cl de vin blanc sec
    2 cuil. à soupe de parmesan
      fraîchement râpé
    50 g de pistaches grossièrement
      hachées
    3 cuil. à soupe de marjolaine ou
      d'origan haché(e), plus quelques
      feuilles pour la garniture
    sel, muscade fraîchement râpée et
      poivre noir fraîchement moulu

1 Portez le bouillon ou l'eau à
ébullition, puis baissez le feu. Prélevez-
en un peu dans un bol et ajoutez-y les
stigmates de safran. Laissez infuser.

2 Chauffez l'huile dans une grande
casserole à fond épais ou une sauteuse
et faites fondre l'oignon et l'ail 5 min à
feu doux. Ajoutez le potiron et le riz et
mélangez bien pour les enduire d'huile.
Prolongez la cuisson de quelques
minutes, jusqu'à ce que le riz devienne
transparent.

3 Mouillez avec le vin et portez à forte
ébullition. Quand il est absorbé, ajoutez
un quart du bouillon chaud et le liquide
infusé de safran. Remuez jusqu'à ce
que tout le liquide soit absorbé.
Incorporez louche par louche et sans
cesser de remuer, le reste de bouillon,
en veillant à ce qu'il soit absorbé avant
de verser la louche suivante. Au bout
de 20 à 30 min, le riz doit être jaune
doré, onctueux et *al dente*.

4 Incorporez le parmesan, couvrez
la casserole et laissez reposer le risotto
5 min. Enfin, incorporez les pistaches
et la marjolaine ou l'origan. Assaisonnez
de sel, de muscade et de poivre et
garnissez de quelques feuilles de
marjolaine ou d'origan avant de servir.

RISOTTO AU PARMESAN

CE RISOTTO TRADITIONNEL EST TOUT SIMPLEMENT PARFUMÉ AVEC DU PARMESAN RÂPÉ ET DE L'OIGNON HACHÉ ET DORÉ.

POUR 3 À 4 PERSONNES

INGRÉDIENTS
- 1 l de bouillon de bœuf, de volaille ou de légumes
- 65 g de beurre
- 1 petit oignon finement haché
- 275 g de riz à risotto
- 12 cl de vin blanc sec
- 75 g de parmesan fraîchement râpé, plus un peu pour la garniture
- feuilles de basilic, pour la garniture
- sel et poivre noir fraîchement moulu

1 Chauffez le bouillon dans une casserole et maintenez-le frémissant.

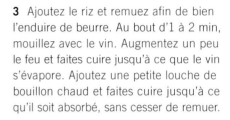

2 Faites fondre les deux tiers du beurre dans une grande casserole à fond épais ou une poêle et faites dorer l'oignon à feu doux.

3 Ajoutez le riz et remuez afin de bien l'enduire de beurre. Au bout d'1 à 2 min, mouillez avec le vin. Augmentez un peu le feu et faites cuire jusqu'à ce que le vin s'évapore. Ajoutez une petite louche de bouillon chaud et faites cuire jusqu'à ce qu'il soit absorbé, sans cesser de remuer.

4 Incorporez peu à peu le reste de bouillon, sans cesser de remuer, en laissant le riz l'absorber avant de verser la louche suivante. Au bout de 20 à 30 min, le riz doit être onctueux et *al dente*. Salez et poivrez.

5 Retirez la casserole du feu, puis incorporez le reste de beurre et le fromage. Vérifiez l'assaisonnement et laissez le risotto reposer 3 à 4 min. Servez éventuellement garni de feuilles de basilic et de copeaux de parmesan.

CONSEIL
Si vous manquez de bouillon en cours de cuisson, remplacez-le par de l'eau chaude, mais ne vous inquiétez pas non plus si le riz est prêt avant que tout le bouillon n'ait été utilisé.

RISOTTO À LA RICOTTA ET AU BASILIC

VOICI UN RISOTTO BIEN PARFUMÉ, QUI ALLIE LE GOÛT PUISSANT DU BASILIC À LA TEXTURE CRÉMEUSE DE LA RICOTTA.

POUR 3 À 4 PERSONNES

INGRÉDIENTS

3 cuil. à soupe d'huile d'olive
1 oignon finement haché
275 g de riz à risotto
1 l de bouillon de volaille ou
  de légumes bien chaud
175 g de ricotta
50 g de feuilles de basilic
  finement hachées, plus un peu
  pour la garniture
75 g de parmesan fraîchement râpé
sel et poivre noir fraîchement
  moulu

1 Chauffez l'huile dans une grande casserole ou une cocotte et faites fondre l'oignon à feu doux.

2 Versez le riz en pluie et prolongez la cuisson de quelques minutes jusqu'à ce que les grains soient transparents et bien enduits d'huile.

3 Mouillez avec un quart du bouillon. Faites cuire sans cesser de remuer jusqu'à ce que le bouillon soit absorbé, puis ajoutez une nouvelle louche. Continuez ainsi, en rajoutant une louche aussitôt que la précédente est absorbée. Le riz devrait être juste tendre au bout de 20 min.

4 Versez la ricotta dans un saladier et écrasez-la à la fourchette. Incorporez-la dans le risotto avec le basilic et le parmesan. Vérifiez l'assaisonnement, puis couvrez et laissez reposer 2 à 3 min. Servez garni de quelques feuilles de basilic.

FRITTATA AU RISOTTO

À MI-CHEMIN ENTRE L'OMELETTE ET LE RISOTTO, CETTE RECETTE CONSTITUE UN DÉLICIEUX DÉJEUNER LÉGER. SI POSSIBLE, PRÉPAREZ CHAQUE FRITTATA SÉPARÉMENT, ET DE PRÉFÉRENCE DANS UNE PETITE POÊLE EN FONTE, AFIN QUE LES ŒUFS PRENNENT RAPIDEMENT EN DESSOUS MAIS RESTENT « BAVEUX » DESSUS.

POUR 4 PERSONNES

INGRÉDIENTS

- 2 à 3 cuil. à soupe d'huile d'olive
- 1 petit oignon finement haché
- 1 gousse d'ail écrasée
- 1 gros poivron rouge épépiné et détaillé en fines lanières
- 150 g de riz à risotto
- 40 à 50 cl de bouillon de volaille frémissant
- 25 à 40 g de beurre
- 175 g de petits champignons de Paris finement émincés
- 4 cuil. à soupe de parmesan fraîchement râpé
- 6 à 8 œufs
- sel et poivre noir fraîchement moulu

1 Chauffez 1 cuil. à soupe d'huile dans une grande poêle et faites revenir l'ail et l'oignon 2 à 3 min à feu doux sans les laisser brunir. Ajoutez le poivron et prolongez la cuisson de 4 à 5 min, sans cesser de remuer.

2 Incorporez le riz et faites cuire 2 à 3 min à feu doux, sans cesser de remuer, jusqu'à ce qu'il soit bien enduit d'huile.

3 Mouillez avec un quart du bouillon ; salez et poivrez. Remuez à feu doux jusqu'à ce que le bouillon soit absorbé. Continuez à rajouter du bouillon, louche par louche, en laissant le riz l'absorber avant de verser la louche suivante. Continuez ainsi jusqu'à ce que le riz soit *al dente*.

4 Dans une autre petite poêle, chauffez un peu d'huile et de beurre et faites dorer rapidement les champignons. Réservez-les dans une assiette.

5 Quand le riz est prêt, retirez-le du feu et incorporez les champignons et le parmesan.

6 Battez les œufs avec 8 cuil. à soupe d'eau froide et assaisonnez généreusement. Chauffez le reste d'huile et de beurre dans une poêle à omelette et ajoutez le risotto. Étalez-le bien dans la poêle, puis ajoutez immédiatement les œufs battus, en inclinant la poêle pour les faire cuire uniformément. Prolongez la cuisson d'1 à 2 min à feu moyen-vif, puis transférez la frittata sur un plat réchauffé avant de servir.

CONSEIL

Cette recette peut faire un plat nourrissant pour deux, avec 5 ou 6 œufs. Vous pouvez également cuire la frittata en portions individuelles.

RISOTTO AUX CÈPES ET AU PARMESAN

LE SUCCÈS D'UN BON RISOTTO DÉPEND DE LA QUALITÉ DU RIZ ET DE LA TECHNIQUE EMPLOYÉE.
CETTE VARIANTE DU CLASSIQUE RISOTTO ALLA MILANESE *INCLUT DU SAFRAN,*
DES CÈPES SÉCHÉS ET DU PARMESAN.

POUR 4 PERSONNES

INGRÉDIENTS

2 cuil. à soupe de cèpes séchés
15 cl d'eau chaude
1 l de bouillon de légumes
une généreuse pincée de stigmates
  de safran
2 cuil. à soupe d'huile d'olive
1 oignon finement haché
1 gousse d'ail écrasée
350 g de riz Arborio ou Carnaroli
15 cl de vin blanc sec
25 g de beurre
50 g de parmesan fraîchement râpé
sel et poivre noir fraîchement moulu
pleurotes en huître roses et jaunes,
  pour la garniture (facultatif)

1 Mettez les cèpes dans un bol et mouillez avec l'eau chaude. Laissez tremper 20 min, puis retirez-les du bol avec une écumoire. Filtrez l'eau de trempage à travers un tamis garni de papier absorbant, puis versez-la dans une casserole avec le bouillon. Portez à légère ébullition.

2 Versez 3 cuil. à soupe du bouillon dans un bol et incorporez les stigmates de safran ; réservez. Hachez finement les cèpes. Chauffez l'huile dans une poêle et faites revenir l'oignon, l'ail et les cèpes 5 min. Incorporez peu à peu le riz, en remuant bien pour l'enduire d'huile. Prolongez la cuisson de 2 min, sans cesser de remuer, puis salez et poivrez.

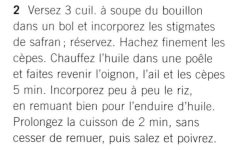

3 Mouillez avec le vin blanc et prolongez la cuisson sans cesser de remuer jusqu'à ce qu'il soit absorbé. Versez un quart du bouillon et remuez jusqu'à ce qu'il soit absorbé à son tour. Incorporez le reste de bouillon petit à petit, en laissant le riz l'absorber avant de verser la louche suivante.

4 Au bout de 20 min, lorsque tout le bouillon est absorbé et que le riz est *al dente*, incorporez le beurre, l'eau safranée (avec les stigmates) et la moitié du parmesan. Garnissez éventuellement de pleurotes roses et jaunes.

VARIANTES
À condition de maintenir les proportions de bouillon, de riz, d'oignon, d'ail et de beurre, ce délicieux risotto s'accommode de tous les ingrédients inimaginables.

RISOTTO AUX PETITS LÉGUMES

Voici l'un des plus jolis risottos qui soient, notamment s'il est à base de courge Acorn.

POUR 3 À 4 PERSONNES

INGRÉDIENTS

   115 g de petits pois frais écossés
   115 g de haricots verts coupés
     en tronçons
   2 cuil. à soupe d'huile d'olive
   75 g de beurre
   1 courge Acorn pelée et épépinée,
     détaillée en julienne
   1 oignon finement haché
   275 g de riz à risotto
   12 cl de vermouth blanc italien
   1 l de bouillon de volaille
     frémissant
   75 g de parmesan fraîchement râpé
   sel et poivre noir fraîchement
     moulu

1 Portez une casserole d'eau légèrement salée à ébullition, et faites cuire les petits pois et les haricots 2 à 3 min jusqu'à ce qu'ils soient juste tendres. Égouttez, rafraîchissez à l'eau froide, égouttez à nouveau et réservez.

2 Chauffez l'huile et 25 g de beurre dans une casserole jusqu'à ce que le mélange mousse. Ajoutez la courge et faites revenir 2 à 3 min à feu doux. Retirez à l'aide d'une écumoire et réservez. Ajoutez l'oignon et faites-le fondre 2 à 3 min à feu doux, en remuant fréquemment.

3 Incorporez le riz jusqu'à ce que les grains gonflent et éclatent, puis mouillez avec le vermouth. Remuez jusqu'à ce que le vermouth cesse de grésiller et soit presque entièrement absorbé par le riz, puis ajoutez quelques louches de bouillon. Salez et poivrez, puis remuez à feu doux jusqu'à ce que le bouillon soit absorbé.

4 Incorporez petit à petit le reste de bouillon, sans cesser de remuer, en laissant le riz l'absorber avant de verser la louche suivante.

VARIANTES

On peut remplacer les petits pois par des fèves décortiquées, et les haricots verts par des pointes d'asperge. À défaut de courge Acorn, utilisez des courgettes.

5 Au bout de 20 min, quand tout le bouillon est absorbé et que le riz est moelleux mais cependant *al dente*, incorporez délicatement les légumes, le reste de beurre et la moitié du parmesan. Réchauffez le tout, puis vérifiez l'assaisonnement et servez en faisant circuler à part le reste de parmesan.

RISOTTO VERT

POUR UN IMPACT VISUEL ENCORE PLUS FORT, UTILISEZ DU RIZ À RISOTTO PARFUMÉ AUX ÉPINARDS.
TOUTEFOIS, LES GRAINS DE RIZ BLANCS FORMENT UN JOLI CONTRASTE AVEC LE VERT DES ÉPINARDS.

POUR 3 À 4 PERSONNES

INGRÉDIENTS

2 cuil. à soupe d'huile d'olive
1 oignon finement haché
275 g de riz à risotto
1 l de bouillon de volaille chaud
5 cuil. à soupe de vin blanc
environ 400 g de jeunes pousses
  d'épinard
1 cuil. à soupe de basilic frais haché
1 cuil. à café de menthe fraîche
  hachée
4 cuil. à soupe de parmesan
  fraîchement râpé
sel et poivre noir fraîchement moulu
une noix de beurre ou un peu plus
  de parmesan, pour la garniture

1 Chauffez l'huile et faites fondre l'oignon 3 à 4 min. Ajoutez le riz et remuez pour bien l'enduire d'huile. Mouillez avec le bouillon et le vin, louche par louche, en remuant constamment à feu doux jusqu'à ce que tout le liquide ait été absorbé.

2 Incorporez les épinards et les fines herbes avec la dernière louche de bouillon, puis assaisonnez légèrement. Prolongez la cuisson jusqu'à ce que le riz soit tendre et que les épinards soient ramollis. Incorporez le parmesan, avec éventuellement une noix de beurre ou un bol de parmesan à part.

CONSEIL
Le secret du risotto consiste à incorporer progressivement le bouillon chaud, environ une louche à la fois, et à remuer constamment jusqu'à ce que le liquide soit absorbé, avant de rajouter du bouillon.

RISOTTO AU BACON, AUX MINI-COURGETTES ET AUX POIVRONS

VOICI UN PLAT IDÉAL À DÉGUSTER ENTRE AMIS. CET ONCTUEUX RISOTTO GARNI DE LÉGUMES
ET DE BACON CROUSTILLANT EST IRRÉSISTIBLE ET TRÈS SIMPLE À FAIRE.

POUR 4 PERSONNES

INGRÉDIENTS

2 cuil. à soupe d'huile d'olive
115 g de tranches de bacon
  découennées, détaillées en lanières
350 g de riz à risotto
1,2 l de bouillon de légumes
  ou de volaille bien chaud
2 cuil. à soupe de crème fraîche liquide
3 cuil. à soupe de xérès sec
50 g de parmesan fraîchement râpé
50 g de persil frais haché
sel et poivre noir fraîchement moulu
1 petit poivron rouge épépiné
1 petit poivron vert épépiné
25 g de beurre
75 g de champignons « boules
  de neige » émincés
225 g de mini-courgettes coupées
  en deux
1 oignon coupé en deux et émincé
1 gousse d'ail écrasée

1 Chauffez la moitié de l'huile dans une poêle et faites cuire le bacon à feu doux jusqu'à ce que la graisse fonde. Augmentez le feu et faites-le revenir jusqu'à ce qu'il soit croustillant. Égouttez sur du papier absorbant et réservez.

2 Chauffez le reste d'huile dans une casserole à fond épais. Ajoutez le riz en remuant bien pour l'enduire d'huile, puis mouillez avec un peu de bouillon chaud. Remuez jusqu'à absorption complète. Incorporez petit à petit le reste de bouillon, sans cesser de remuer.

3 Coupez les poivrons en morceaux. Faites fondre le beurre dans une autre poêle et faites revenir les poivrons, les champignons, les courgettes, l'oignon et l'ail jusqu'à ce que l'oignon soit juste tendre. Salez, poivrez, puis incorporez le bacon.

4 Quand tout le bouillon a été absorbé par le riz, incorporez la crème fraîche, le xérès, le parmesan, le persil, le sel et le poivre. Répartissez le risotto dans les assiettes et garnissez chaque portion de légumes et de bacon. Servez immédiatement.

RISOTTO AUX ASPERGES

La saison des asperges étant courte, autant en profiter au maximum. Cet élégant risotto est absolument délicieux.

POUR 3 À 4 PERSONNES

INGRÉDIENTS
    225 g d'asperges vertes fraîches
    75 cl de bouillon de légumes
       ou de volaille
    65 g de beurre
    1 petit oignon finement haché
    275 g de riz à risotto (Arborio
       ou Carnaroli)
    75 g de parmesan fraîchement râpé
    sel et poivre noir fraîchement
       moulu

1 Portez une casserole d'eau à ébullition. Retirez l'extrémité ligneuse des asperges, pelez le bas des tiges puis faites cuire 5 min à l'eau bouillante. Égouttez les asperges en réservant l'eau de cuisson, rafraîchissez-les à l'eau froide et égouttez-les à nouveau. Coupez les asperges en tronçons obliques de 4 cm. Séparez les pointes du reste des tiges.

2 Versez le bouillon dans une casserole et ajoutez 45 cl d'eau de cuisson très chaude. Portez au point d'ébullition et maintenez bien chaud.

3 Faites fondre les deux tiers du beurre dans une grande casserole à fond épais ou une sauteuse et faites-y dorer l'oignon. Incorporez les tiges d'asperge et faites-les cuire 2 à 3 min. Ajoutez le riz et prolongez la cuisson d'1 à 2 min en remuant bien pour l'enduire de beurre. Mouillez avec une louche de bouillon chaud. Avec une cuillère en bois, remuez jusqu'à ce que le bouillon soit absorbé.

4 Incorporez peu à peu le reste de bouillon, sans cesser de remuer, en laissant le riz l'absorber avant de verser la louche suivante.

5 Au bout de 10 min, ajoutez le reste des asperges. Prolongez la cuisson comme précédemment, pendant 15 min environ, jusqu'à ce que le riz soit *al dente* et le risotto onctueux. Hors du feu, incorporez le reste de beurre et le parmesan. Broyez un peu de poivre noir et salez si nécessaire. Servez aussitôt.

RISOTTO AUX QUATRE FROMAGES

*FAITES DE CE PLAT TRÈS RICHE UN HORS-D'ŒUVRE RAFFINÉ LORS D'UNE GRANDE OCCASION.
ACCOMPAGNEZ-LE D'UN VIN BLANC PÉTILLANT LÉGER.*

POUR 4 PERSONNES

INGRÉDIENTS

40 g de beurre
1 petit oignon finement haché
1,2 l de bouillon de volaille,
  maison de préférence
350 g de riz à risotto
20 cl de vin blanc sec
50 g de gruyère râpé
50 g de taleggio détaillé en dés
50 g de gorgonzola détaillé
  en dés
50 g de parmesan fraîchement râpé
sel et poivre noir fraîchement
  moulu
persil plat frais haché, pour
  la garniture

1 Faites fondre le beurre dans une grande casserole à fond épais ou une sauteuse et faites dorer l'oignon 4 à 5 min à feu doux, en remuant fréquemment. Versez le bouillon dans une autre casserole et portez-le au point d'ébullition.

2 Ajoutez le riz dans l'oignon et remuez jusqu'à ce que les grains gonflent et éclatent, puis mouillez avec le vin. Remuez jusqu'à ce qu'il cesse de grésiller et qu'il soit presque entièrement absorbé, puis incorporez un peu de bouillon. Salez et poivrez. Remuez à feu doux jusqu'à ce que le bouillon soit absorbé.

3 Incorporez petit à petit le reste de bouillon, sans cesser de remuer, en laissant le riz l'absorber avant de verser la louche suivante. Au bout de 20 à 25 min, le riz doit être *al dente* et le risotto onctueux.

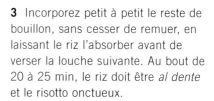

4 Éteignez le feu sous la casserole, puis ajoutez le gruyère, le taleggio, le gorgonzola et 2 cuil. à soupe de parmesan. Remuez délicatement jusqu'à ce que les fromages soient fondus, puis vérifiez l'assaisonnement. Versez dans un saladier de service et garnissez de persil. Servez le reste de parmesan à part.

TIMBALE DE RIZ AUX PETITS POIS

LA TIMBALE DOIT SON NOM À L'INSTRUMENT DE MUSIQUE HOMONYME QUI LUI DONNE SA FORME CARACTÉRISTIQUE. PRÉPARÉE COMME UN RISOTTO, ELLE EST ENSUITE PASSÉE AU FOUR.

POUR 3 À 4 PERSONNES

INGRÉDIENTS
  75 g de beurre
  2 cuil. à soupe d'huile d'olive
  1 petit oignon finement haché
  50 g de jambon coupé en petits dés
  3 cuil. à soupe de persil finement
    haché, plus quelques brins pour
    la garniture
  2 gousses d'ail très finement hachées
  225 g de petits pois écossés
    (décongelés s'ils étaient surgelés)
  4 cuil. à soupe d'eau
  1,3 l de bouillon de volaille
    ou de légumes
  350 g de riz à risotto, Arborio
    de préférence
  75 g de parmesan fraîchement râpé
  175 g de fontina très finement
    émincée
  sel et poivre noir fraîchement moulu

1 Préchauffez le four à 180 °C (th. 6). Chauffez la moitié du beurre et l'huile dans une casserole à fond épais et faites fondre l'oignon quelques minutes. Ajoutez le jambon et remuez 3 à 4 min à feu moyen. Incorporez le persil et l'ail et prolongez la cuisson de 2 min. Ajoutez les petits pois, salez, poivrez et mouillez avec l'eau.

2 Couvrez la casserole et faites cuire 8 min pour des petits pois frais, ou 4 min pour des pois surgelés. Ôtez le couvercle et prolongez la cuisson jusqu'à ce que le liquide soit évaporé. Transvasez la moitié de la préparation dans un plat. Chauffez le bouillon et maintenez-le frémissant. Beurrez un moule à gratin peu profond et tapissez-le de papier sulfurisé.

3 Incorporez le riz dans la casserole de petits pois. Réchauffez le tout puis ajoutez une louche de bouillon. Faites cuire jusqu'à ce que le bouillon soit absorbé, sans cesser de remuer. Continuez ainsi avec le reste de bouillon.

4 Au bout de 20 min environ, quand le riz est juste tendre, retirez-le du feu. Salez, poivrez et incorporez le reste de beurre et la moitié du parmesan.

5 Préparez la timbale : saupoudrez le fond du plat de parmesan et déposez la moitié du riz. Ajoutez une couche de fontina et garnissez la préparation de petits pois et d'oignon réservée. Égalisez le niveau et saupoudrez de parmesan.

6 Couvrez avec le reste de fontina et terminez par le reste de riz. Saupoudrez avec le reste de parmesan et parsemez de petites noix de beurre. Enfournez 10 à 15 min, puis laissez reposer 10 min hors du four.

7 Pour démouler la timbale, passez un couteau tout autour. Posez un plat de service à l'envers sur le plat de cuisson. Enfilez des gants de cuisine et retournez le tout. Détachez le papier sulfurisé et servez en coupant la timbale en parts.

GÂTEAU DE RISOTTO AU CITRON ET AUX FINES HERBES

CE PLAT ORIGINAL PEUT ÊTRE SERVI EN PLAT DE RÉSISTANCE AVEC UNE SALADE, OU EN ACCOMPAGNEMENT. ON PEUT AUSSI LE CONSOMMER FROID, EN PIQUE-NIQUE PAR EXEMPLE.

POUR 4 PERSONNES

INGRÉDIENTS
  1 petit poireau finement émincé
  60 cl de bouillon de volaille
  225 g de riz à risotto
  le zeste finement râpé d'1 citron
  2 cuil. à soupe de ciboulette ciselée
  2 cuil. à soupe de persil frais haché
  75 g de mozzarella râpée
  sel et poivre noir fraîchement
    moulu

1 Préchauffez le four à 200 °C (th. 7). Huilez légèrement un moule à gâteau rond, à fond amovible.

2 Dans une grande casserole, réunissez le poireau et 3 cuil. à soupe de bouillon. Faites fondre à feu moyen, en remuant de temps en temps. Incorporez le riz puis mouillez avec le reste de bouillon.

3 Portez à ébullition, puis baissez le feu, couvrez et laissez mijoter doucement pendant 20 min environ (le liquide doit être entièrement absorbé.)

4 Incorporez le zeste du citron, les fines herbes, le fromage, le sel et le poivre. Versez la préparation dans le moule, couvrez de papier aluminium et enfournez 30 à 35 min, jusqu'à ce que le riz soit légèrement doré. Laissez reposer 5 min avant de démouler. Servez chaud ou froid, en tranches.

REMARQUE
Ce risotto nécessite moins de bouillon que le risotto ordinaire et présente une consistance plus sèche.

RISOTTO AUX CREVETTES

Ce risotto bénéficie d'une jolie couleur rosée grâce à l'ajout de purée de tomates.

POUR 3 À 4 PERSONNES

INGRÉDIENTS

350 g de grosses crevettes crues
  non décortiquées
1 l d'eau
1 feuille de laurier
1 ou 2 brin(s) de persil
1 cuil. à café de grains de poivre
2 gousses d'ail entières pelées
65 g de beurre
2 échalotes finement hachées
275 g de riz à risotto
1 cuil. à soupe de purée de tomates
  diluée dans 12 cl de vin blanc sec
sel et poivre noir fraîchement
  moulu

1 Mettez les crevettes dans une grande casserole et ajoutez l'eau, les aromates et l'ail. Portez à ébullition sur feu moyen. Dès que les crevettes rosissent, retirez-les, décortiquez-les et remettez les carapaces dans la casserole. Faites bouillir le bouillon avec les carapaces pendant 10 min, puis passez-le. Remettez le bouillon dans une casserole propre et laissez-le mijoter doucement.

2 Coupez les crevettes en deux dans la longueur en retirant la veine noire sur le dos. Réservez quatre moitiés pour la garniture et hachez grossièrement le reste.

3 Chauffez deux tiers du beurre dans une cocotte à feu et faites dorer les échalotes. Ajoutez le riz et remuez pour bien l'enduire de beurre. Incorporez la purée de tomates diluée et faites cuire jusqu'à ce qu'elle soit absorbée. Ajoutez le bouillon frémissant, louche par louche, en laissant le riz l'absorber avant de verser la louche suivante.

4 Quand tout le bouillon est absorbé et que le riz est onctueux, incorporez les crevettes hachées, le reste de beurre, le sel et le poivre. Couvrez et laissez reposer le risotto 3 à 4 min. Dressez dans un plat et garnissez de crevettes réservées.

RISOTTO AUX CHAMPIGNONS

Le risotto aux champignons se fait facilement et a toujours beaucoup de succès. Les champignons des bois donneront un goût plus prononcé, mais n'importe quelle variété fera l'affaire.

POUR 3 À 4 PERSONNES

INGRÉDIENTS

25 g de champignons des bois
  séchés (cèpes de préférence)
35 cl d'eau chaude
90 cl de bouillon de bœuf
  ou de volaille
175 g de petits champignons
  de Paris émincés
le jus d'1/2 citron
75 g de beurre
2 cuil. à soupe de persil frais
  finement haché
2 cuil. à soupe d'huile d'olive
1 petit oignon finement haché
275 g de riz à risotto
12 cl de vin blanc sec
3 cuil. à soupe de parmesan
  fraîchement râpé
sel et poivre noir fraîchement moulu
fines herbes, pour la garniture

1 Laissez tremper 40 min dans un bol d'eau chaude les champignons séchés, puis rincez-les soigneusement. Passez l'eau de trempage dans un tamis garni de papier absorbant et versez-la dans une casserole. Ajoutez le bouillon et portez au point d'ébullition.

2 Dans un saladier, mélangez les champignons de Paris avec le jus de citron. Faites fondre un tiers du beurre dans une casserole et faites suer les champignons de Paris jusqu'à ce qu'ils commencent à dorer. Incorporez le persil et prolongez la cuisson de 30 secondes avant de transférer dans une jatte.

3 Chauffez l'huile d'olive et la moitié du beurre restant dans une casserole et faites fondre l'oignon. Ajoutez le riz sans cesser de remuer, afin que les grains soient bien enduits d'huile.

4 Incorporez tous les champignons, mouillez avec le vin et faites cuire à feu moyen jusqu'à son absorption. Versez le bouillon, louche par louche, en laissant le riz l'absorber avant de verser la louche suivante. Quand tout le bouillon est absorbé, retirez la casserole du feu, incorporez le reste de beurre, le parmesan, le sel et le poivre. Couvrez et laissez reposer 3 à 4 min avant de servir.

RISOTTO ALLA MILANESE

CE GRAND CLASSIQUE EST L'ACCOMPAGNEMENT TRADITIONNEL DE L'OSSO BUCCO,
MAIS PEUT TOUT AUSSI BIEN SE DÉGUSTER EN ENTRÉE OU EN GUISE DE DÎNER LÉGER.

POUR 3 À 4 PERSONNES

INGRÉDIENTS

environ 1,2 l de bouillon de bœuf
 ou de volaille
une bonne pincée de stigmates
 de safran
75 g de beurre
1 oignon finement haché
275 g de riz à risotto
75 g de parmesan fraîchement râpé
sel et poivre noir fraîchement moulu

1 Portez le bouillon à ébullition
puis baissez le feu et laissez-le frémir.
Versez-en un peu dans un bol et ajoutez
les stigmates de safran. Laissez infuser.

2 Faites fondre 50 g du beurre dans
une grande casserole jusqu'à ce qu'il
grésille. Ajoutez l'oignon et faites-le
fondre 3 min environ à feu doux,
sans le laisser brunir, en remuant
fréquemment.

3 Ajoutez le riz et remuez jusqu'à
ce que les grains gonflent et éclatent,
puis mouillez avec quelques louches de
bouillon et l'infusion de safran ; salez
et poivrez. Remuez à feu doux jusqu'à
ce que le bouillon soit absorbé. Ajoutez
le reste du bouillon, louche par louche
et sans cesser de remuer, en laissant
le riz absorber le liquide avant de verser
la louche suivante. Au bout de 20 à
25 min, le riz doit être juste tendre et le
risotto onctueux et d'un beau jaune doré.

4 Incorporez délicatement les deux
tiers du parmesan et le reste de beurre.
Réchauffez le tout jusqu'à ce que
le beurre soit fondu, puis vérifiez
l'assaisonnement. Transférez le risotto
dans un plat chauffé et servez bien
chaud, accompagné du parmesan
que vous ferez circuler à part.

RISI E BISI

Un risotto typique, à base de jambon et de petits pois, venu de Vénétie. Traditionnellement servi en entrée dans son pays d'origine, il peut aussi faire un excellent plat à part entière.

POUR 4 PERSONNES

INGRÉDIENTS
75 g de beurre
1 petit oignon finement haché
environ 1 l de bouillon de volaille
   frémissant
275 g de riz à risotto
15 cl de vin blanc sec
225 g de petits pois surgelés,
   décongelés
115 g de jambon blanc coupé en dés
sel et poivre noir fraîchement moulu
50 g de parmesan fraîchement râpé,
   pour la garniture

1 Chauffez 50 g de beurre dans une casserole, jusqu'à ce qu'il grésille. Ajoutez l'oignon et faites-le fondre 3 min environ, en remuant fréquemment. Maintenez le bouillon frémissant dans une autre casserole.

2 Ajoutez le riz à l'oignon et remuez jusqu'à ce que les grains gonflent. Mouillez avec le vin et remuez jusqu'à ce qu'il soit absorbé. Versez alors un peu de bouillon chaud, salez et poivrez. Continuez à remuer à feu doux jusqu'à ce que tout le bouillon soit absorbé.

3 Ajoutez le reste de bouillon, louche par louche et sans cesser de remuer, en laissant le riz l'absorber avant de verser la louche suivante. Incorporez les petits pois au bout de 20 min environ. Après 25 à 30 min, le riz doit être *al dente* et le risotto onctueux.

4 Incorporez délicatement les dés de jambon et le reste de beurre. Réchauffez le tout jusqu'à ce que le beurre soit fondu, puis vérifiez l'assaisonnement. Transférez dans un plat chaud et garnissez d'un peu de parmesan râpé. Faites circuler le reste de parmesan dans un bol à part.

CONSEIL
Utilisez toujours du parmesan frais, que vous râperez vous-même. Il aura en effet beaucoup plus de goût que le parmesan acheté déjà râpé.

RISOTTO AU POULET

VOICI UNE COMBINAISON CLASSIQUE DE RIZ ET DE POULET, AGRÉMENTÉE DE JAMBON DE PARME,
DE VIN BLANC ET DE PARMESAN.

POUR 6 PERSONNES

INGRÉDIENTS
2 cuil. à soupe d'huile d'olive
225 g de blancs de poulet désossés
  et sans peau, détaillés en cubes
  de 2,5 cm
1 oignon finement haché
1 gousse d'ail finement hachée
450 g de riz à risotto
12 cl de vin blanc sec
1/4 de cuil. à café de stigmates
  de safran
1,75 l de bouillon de volaille frémissant
50 g de jambon de Parme détaillé
  en fines lanières
25 g de beurre coupé en dés
25 g de parmesan fraîchement râpé,
  plus un peu pour la garniture
sel et poivre noir fraîchement moulu
persil plat pour la garniture

1 Chauffez l'huile à feu moyen-vif dans
une poêle et faites revenir les cubes de
poulet jusqu'à ce qu'ils blanchissent,
en remuant fréquemment.

2 Baissez le feu et ajoutez l'oignon et
l'ail. Faites revenir quelques minutes
sans cesser de remuer. Incorporez le riz
et faites-le revenir 1 à 2 min jusqu'à ce
que les grains soient bien enduits d'huile.

3 Mouillez avec le vin et prolongez la
cuisson jusqu'à ce qu'il soit absorbé,
sans cesser de remuer. Incorporez le
safran dans le bouillon frémissant puis
versez celui-ci dans le riz, louche par
louche et sans cesser de remuer, en
laissant à chaque fois le riz l'absorber.

4 Quand le riz est aux trois quarts
cuit, ajoutez le jambon de Parme et
continuez à cuire jusqu'à ce que le riz
soit juste tendre et le risotto onctueux.

5 Incorporez le beurre et le parmesan
et remuez bien. Salez et poivrez. Servez
le risotto bien chaud, saupoudré de
parmesan et de persil.

RISOTTO AU JAMBON FUMÉ ET À LA TOMATE

UNE RECETTE CLASSIQUE ALLIANT L'OIGNON, LE JAMBON FUMÉ ET LES TOMATES SÉCHÉES.
UN VRAI RÉGAL !

POUR 4 À 6 PERSONNES

INGRÉDIENTS

    8 tomates séchées marinées
      à l'huile d'olive

    275 g de jambon fumé découenné
      de qualité

    75 g de beurre

    450 g d'oignons grossièrement
      hachés

    2 gousses d'ail écrasées

    350 g de riz à risotto

    30 cl de vin blanc sec

    1 l de bouillon de légumes
      frémissant

    50 g de parmesan fraîchement râpé

    3 cuil. à soupe de ciboulette et
      de persil plat hachés

    sel et poivre noir fraîchement moulu

1 Égouttez les tomates séchées (en réservant 1 cuil. à soupe d'huile de marinade) et hachez-les grossièrement. Coupez le jambon en dés de 2,5 cm.

2 Chauffez l'huile de marinade dans une grande poêle et faites revenir le jambon jusqu'à ce qu'il soit bien doré. Retirez-le à l'aide d'une écumoire et égouttez-le sur du papier absorbant.

3 Chauffez 25 g de beurre dans une casserole et faites revenir l'ail et l'oignon environ 10 min à feu moyen, jusqu'à ce qu'ils soient bien dorés.

4 Incorporez le riz et faites-le cuire 1 min (les grains deviennent transparents). Versez le vin dans le bouillon puis ajoutez une louche de ce bouillon dans le riz. Faites cuire à feu doux jusqu'à ce que le liquide soit absorbé.

5 Incorporez une autre louche de bouillon et laissez le riz l'absorber, sans cesser de remuer. Continuez ainsi jusqu'à la fin du bouillon (comptez 25 à 30 min). Le risotto doit devenir onctueux et le riz tendre mais non collant.

6 Juste avant de servir, incorporez le jambon, les tomates séchées, le parmesan, la moitié des fines herbes et le reste de beurre. Rectifiez l'assaisonnement (sans oublier que le jambon est déjà très salé) et garnissez avec le reste des fines herbes.

RISOTTO AUX FRUITS DE MER ET AUX CHAMPIGNONS

CE RISOTTO EST RAPIDE À FAIRE, CAR LE BOUILLON EST INCORPORÉ EN UNE SEULE FOIS. LA MÉTHODE SE PRÊTE BIEN À CE PLAT DE FRUITS DE MER, DANS LEQUEL TOUS LES INGRÉDIENTS CUISENT EN MÊME TEMPS.

POUR 6 PERSONNES

INGRÉDIENTS

225 g de moules vivantes
225 g de palourdes
3 cuil. à soupe d'huile d'olive
1 oignon haché
450 g de riz à risotto
1,75 l de bouillon de volaille
ou de légumes frémissant
15 cl de vin blanc
225 g de champignons variés,
nettoyés et émincés
115 g de crevettes crues
décortiquées, veine ôtée
1 calamar moyen (ou 2 petits)
nettoyé(s), paré(s) et émincé(s)
3 gouttes d'huile de truffe
(facultatif)
5 cuil. à soupe de persil
et de cerfeuil hachés
sel de céleri et piment de Cayenne

1 Nettoyez les moules et les palourdes et éliminez celles qui sont ouvertes et ne se referment pas quand on les tape avec un couteau. Réservez. Chauffez l'huile dans une grande poêle et faites fondre l'oignon 6 à 8 min, sans le laisser brunir.

2 Ajoutez le riz et remuez pour bien l'enduire d'huile, puis mouillez avec le vin et le bouillon et faites cuire 5 min. Ajoutez les champignons et prolongez la cuisson de 5 min, en remuant de temps en temps.

3 Incorporez les crevettes, le calamar, les moules et les palourdes. Couvrez la poêle et laissez mijoter 15 min à feu doux jusqu'à ce que les crevettes soient roses et les coquillages ouverts. Éliminez ceux qui restent fermés.

4 Éteignez le feu et ajoutez l'huile de truffe et les fines herbes. Couvrez et laissez reposer 5 à 10 min afin que les arômes infusent. Assaisonnez de sel de céleri et de piment de Cayenne, puis dressez dans un plat de service réchauffé et servez sans attendre.

RISOTTO DE SAUMON AU CONCOMBRE ET À L'ESTRAGON

CE RISOTTO TOUT SIMPLE SE CUIT LUI AUSSI EN UNE SEULE FOIS. SI VOUS PRÉFÉREZ LE PRÉPARER SELON LA FAÇON TRADITIONNELLE, AJOUTEZ LE BOUILLON PETIT À PETIT ET RAJOUTEZ LE SAUMON AUX DEUX TIERS DE LA CUISSON.

POUR 4 PERSONNES

INGRÉDIENTS

   25 g de beurre
   une petite botte d'oignons nouveaux,
     partie blanche uniquement, hachés
   1/2 concombre pelé, épépiné
     et haché
   350 g de riz à risotto
   1,2 l de bouillon de volaille ou
     de fumet de poisson chaud
   15 cl de vin blanc sec
   450 g de filet de saumon écaillé
     et coupé en cubes
   3 cuil. à soupe d'estragon frais haché
   sel et poivre noir fraîchement moulu

1 Chauffez le beurre dans une grande casserole et faites revenir les oignons nouveaux et le concombre 2 à 3 min, sans laisser les oignons brunir.

2 Incorporez le riz, puis mouillez avec le vin et le bouillon. Portez à ébullition, puis baissez le feu et laissez mijoter 10 min, en remuant de temps en temps.

3 Incorporez le saumon ; salez et poivrez. Prolongez la cuisson de 5 min, en remuant de temps en temps, puis éteignez le feu. Couvrez et laissez reposer 5 min.

4 Ôtez le couvercle, ajoutez l'estragon haché et mélangez délicatement. Dressez dans un plat réchauffé juste avant de servir.

VARIANTE
Le riz Carnaroli se prête particulièrement bien à cette recette mais, à défaut, vous pouvez le remplacer par du riz Arborio.

RISOTTO AU HOMARD ET AUX TRUFFES

POUR PROFITER DE LA SAVEUR SUBTILE DE LA TRUFFE, MARIEZ-LA À DU HOMARD ET SERVEZ LE TOUT DANS UN ONCTUEUX RISOTTO. LES COPEAUX ET L'HUILE DE TRUFFE S'AJOUTENT EN FIN DE CUISSON AFIN DE NE PAS DÉNATURER LEUR GOÛT.

POUR 4 PERSONNES

INGRÉDIENTS

50 g de beurre doux
1 oignon moyen haché
350 g de riz à risotto, Carnaroli
   de préférence
1 brin de thym frais
15 cl de vin blanc sec
1,2 l de bouillon de volaille
   frémissant
1 homard fraîchement cuit
3 cuil. à soupe de persil
   et de cerfeuil hachés
3 à 4 gouttes d'huile de truffe
2 œufs durs
1 truffe fraîche, noire ou blanche
sel et poivre noir fraîchement moulu

1 Chauffez le beurre et faites fondre l'oignon. Ajoutez le riz en remuant bien. Ajoutez le thym puis mouillez avec le vin et faites cuire jusqu'à ce qu'il soit absorbé. Versez le bouillon louche par louche, sans cesser de remuer. Laissez le riz absorber chaque louche.

2 Détachez la queue du homard, coupez le dessous avec des ciseaux et retirez la chair blanche. Brisez délicatement les pinces avec un petit maillet de cuisine et retirez la chair. Détaillez la moitié de la chair en gros morceaux, puis hachez grossièrement le reste.

3 Incorporez la chair hachée, la moitié des fines herbes et l'huile de truffe dans le riz. Hors du feu, couvrez la casserole et laissez reposer 5 min.

4 Répartissez le risotto dans les assiettes réchauffées et garnissez-les de morceaux de homard. Coupez les œufs durs et disposez-les sur chaque assiette, autour du homard. Enfin, râpez la truffe au couteau économe sur chaque assiette et saupoudrez avec le reste de fines herbes. Servez aussitôt.

CONSEIL

Pour préserver au mieux l'arôme de la truffe, conservez-la dans le pot à riz quelques jours avant utilisation.

RISOTTO À LA PANCETTA ET AUX FÈVES

CE DÉLICIEUX RISOTTO CONSTITUERA UN REPAS À LA FOIS NOURRISSANT ET ÉQUILIBRÉ,
ACCOMPAGNÉ DE LÉGUMES DE SAISON OU D'UNE SALADE VERTE.

POUR 4 PERSONNES

INGRÉDIENTS

  1 cuil. à soupe d'huile d'olive
  1 oignon haché
  2 gousses d'ail finement hachées
  175 g de pancetta fumée coupée
    en dés
  350 g de riz à risotto
  1,5 l de bouillon de volaille
    frémissant
  225 g de jeunes fèves congelées
  2 cuil. à soupe de fines herbes
    hachées, (persil, thym, origan...)
  sel et poivre noir fraîchement
    moulu
  copeaux de parmesan, pour
    la garniture

1 Chauffez l'huile dans une grande
casserole et faites revenir l'oignon,
l'ail et la pancetta 5 min environ,
en remuant de temps en temps,
sans laisser l'oignon brunir.

2 Ajoutez le riz et remuez pendant
1 min. Mouillez avec une louche
de bouillon, sans cesser de remuer,
jusqu'à ce que le liquide soit absorbé.

3 Continuez à ajouter le bouillon, louche
par louche, jusqu'à ce que le riz soit
tendre et le liquide presque entièrement
absorbé (comptez 30 à 35 min).

4 Pendant ce temps, faites cuire les
fèves 3 min dans une casserole d'eau
bouillante salée. Égouttez et incorporez-
les au risotto, avec les fines herbes.
Salez et poivrez. Dressez dans un plat
de service et garnissez de copeaux
de parmesan frais.

CONSEIL
Si vous n'avez que des grosses fèves, ou
si vous préférez les fèves pelées, retirez
leur peau une fois qu'elles sont cuites.

RISOTTO DE RIZ COMPLET AUX CHAMPIGNONS ET AU PARMESAN

Cette association classique de champignons, de fines herbes et de parmesan se démarque toutefois par l'utilisation d'un riz complet. Servez-le simplement avec une salade verte.

POUR 4 PERSONNES

INGRÉDIENTS

1 cuil. à soupe d'huile d'olive
4 échalotes finement hachées
2 gousses d'ail écrasées
2 cuil. à soupe de cèpes séchés
  trempés 20 min dans 15 cl d'eau
  chaude
250 g de riz complet à longs grains
90 cl de bouillon de légumes
  bien parfumé
450 g de champignons variés,
  émincés s'ils sont gros
2 à 3 cuil. à soupe de persil plat
  haché
50 g de parmesan fraîchement râpé
sel et poivre noir fraîchement
  moulu

1 Chauffez l'huile dans une grande casserole et faites revenir les échalotes et l'ail 5 min à feu doux, en remuant. Égouttez les cèpes en réservant l'eau de trempage et hachez-les grossièrement. Ajoutez le riz complet dans la casserole et remuez pour bien l'enduire d'huile.

2 Mouillez le riz avec le bouillon de légumes et l'eau de trempage des cèpes et portez à ébullition. Baissez le feu et laissez mijoter 20 min à découvert, jusqu'à ce que le liquide soit presque entièrement absorbé, en remuant fréquemment.

3 Ajoutez les champignons, remuez et prolongez la cuisson de 10 min, jusqu'à ce que le liquide soit totalement absorbé.

4 Salez, poivrez, puis incorporez le persil et le parmesan râpé. Servez immédiatement.

RISOTTO AU CRABE

FRAIS ET PARFUMÉ, CE RISOTTO FERA UNE ENTRÉE RAFFINÉE OU UN DÉLICIEUX PLAT PRINCIPAL.
LA RECETTE REQUIERT DEUX GROS CRABES, POURQUOI PAS CEUX QUE VOUS AVEZ PÊCHÉS
LE MATIN MÊME ?

POUR 3 À 4 PERSONNES

INGRÉDIENTS
    2 gros crabes cuits (tourteaux)
    1 cuil. à soupe d'huile d'olive
    25 g de beurre
    2 échalotes finement hachées
    275 g de riz à risotto, Carnaroli
        de préférence
    5 cuil. à soupe de marsala
        ou de cognac
    1 l de fumet de poisson frémissant
    1 cuil. à café d'estragon frais haché
    1 cuil. à café de persil frais haché
    4 cuil. à soupe de crème fraîche
        épaisse
    sel et poivre noir fraîchement moulu

1 Commencez par retirer la chair des tourteaux. Maintenez solidement le crabe d'une main, en position retournée, et frappez à revers la carapace du gras de l'autre main. Cela devrait détacher la carapace du corps. Avec les pouces, tirez le corps vers vous. Éliminez les intestins à l'intérieur du corps.

2 Éliminez les branchies grises, puis détachez les pinces et les pattes du corps. Brisez-les avec un petit maillet ou un casse-noix et retirez la chair à l'aide d'un pic à crabes. Réservez la chair dans une assiette.

3 Avec un pic ou une brochette, retirez la chair blanche des cavités du corps et mettez-la avec la chair des pattes, en en réservant un peu pour la garniture. Récupérez la chair brune à l'intérieur de la carapace et réservez-la.

4 Chauffez l'huile et le beurre dans une casserole et faites revenir les échalotes à feu doux sans les laisser brunir. Ajoutez le riz et faites-le cuire quelques minutes, en remuant, jusqu'à ce qu'il soit transparent. Mouillez avec le marsala ou le cognac, portez à ébullition et prolongez la cuisson jusqu'à évaporation du liquide, sans cesser de remuer.

5 Ajoutez une louche de bouillon chaud et faites cuire, sans cesser de remuer, jusqu'à ce qu'il soit absorbé. Continuez ainsi jusqu'à ce que les deux tiers du bouillon soient absorbés, puis incorporez délicatement la chair de crabe et les fines herbes.

6 Continuez à cuire le risotto, louche par louche. Quand le riz est presque cuit mais *al dente*, retirez-le du feu, incorporez la crème et vérifiez l'assaisonnement. Couvrez et laissez reposer 3 min. Servez garni de chair de crabe réservée.

RISOTTO À LA LOTTE

LA LOTTE EST UN POISSON POLYVALENT, À LA TEXTURE FERME ET AU GOÛT SUBTIL, ICI REHAUSSÉ DE CITRONNELLE POUR CE RISOTTO SOPHISTIQUÉ.

POUR 3 À 4 PERSONNES

INGRÉDIENTS
   farine assaisonnée
   500 g de lotte détaillée en cubes
   2 cuil. à soupe d'huile d'olive
   40 g de beurre
   2 échalotes finement hachées
   1 tige de citronnelle finement
      hachée
   275 g de riz à risotto, Carnaroli
      de préférence
   17,5 cl de vin blanc sec
   1 l de fumet de poisson frémissant
   2 cuil. à soupe de persil frais haché
   sel et poivre blanc
   feuilles de salade assaisonnées,
      pour la garniture

4 Versez le riz en pluie et remuez afin qu'il soit enduit d'huile et légèrement transparent. Incorporez progressivement le vin puis le bouillon chaud, louche par louche et sans cesser de remuer, en laissant au riz le temps de l'absorber.

5 Une fois le riz aux trois quarts cuit, incorporez la lotte. Continuez à cuire en ajoutant le reste du bouillon et sans cesser de remuer, jusqu'à ce que le riz soit tendre mais *al dente* ; salez et poivrez.

6 Retirez la casserole du feu, incorporez le persil et couvrez. Laissez le risotto reposer quelques minutes avant de le servir accompagné de feuilles de salade.

CONSEIL
La citronnelle ajoute une saveur subtile à ce plat. Retirez la peau externe dure et hachez l'intérieur finement.

1 Saupoudrez les cubes de lotte de farine assaisonnée. Remuez bien l'ensemble.

2 Chauffez la moitié de l'huile et du beurre dans une poêle et faites cuire la lotte 3 à 4 min à feu moyen-vif, en remuant de temps en temps. Transférez dans une assiette et réservez.

3 Chauffez le reste d'huile et de beurre dans une casserole et faites fondre les échalotes 4 min à feu doux, sans les laisser brunir. Ajoutez la citronnelle et prolongez la cuisson d'1 à 2 min.

RISOTTO AUX COQUILLES SAINT-JACQUES

ACHETEZ DES COQUILLES SAINT-JACQUES FRAÎCHES POUR CE PLAT, BIEN MEILLEURES QUE LES SURGELÉES.
EN OUTRE, ELLES SE VENDENT AVEC LEUR CORAIL, QUI AJOUTE DU GOÛT, DE LA TEXTURE ET DE LA COULEUR.

POUR 3 À 4 PERSONNES

INGRÉDIENTS
    environ 12 noix de Saint-Jacques
    50 g de beurre
    1 cuil. à soupe d'huile d'olive
    2 cuil. à soupe de Pernod
    2 échalotes finement hachées
    275 g de riz à risotto
    1 l de fumet de poisson frémissant
    une généreuse pincée de stigmates
        de safran infusés dans 1 cuil.
        à soupe de lait chaud
    2 cuil. à soupe de persil frais haché
    4 cuil. à soupe de crème fraîche
    sel et poivre noir fraîchement moulu

1 Séparez les noix de Saint-Jacques de leur corail. Détaillez la chair blanche en deux ou en tranches de 2 cm.

2 Chauffez la moitié du beurre avec 1 cuil. à café d'huile et faites revenir la chair blanche 2 à 3 min. Mouillez avec le Pernod, chauffez quelques instants, puis faites flamber pendant quelques secondes. Quand il n'y a plus de flammes, retirez la poêle du feu.

3 Chauffez le reste de beurre et d'huile dans une casserole et faites fondre les échalotes 3 à 4 min, sans les laisser brunir. Ajoutez le riz et remuez-le quelques minutes jusqu'à ce qu'il soit bien enduit d'huile et commence à devenir transparent.

4 Incorporez progressivement le bouillon chaud, louche par louche et sans cesser de remuer, en laissant le riz l'absorber avant de verser la louche suivante.

5 Une fois le riz presque cuit, ajoutez les noix de Saint-Jacques avec leur jus de cuisson, ainsi que le corail, le lait safrané, le persil et l'assaisonnement. Mélangez bien le tout et prolongez la cuisson en ajoutant le reste de bouillon et en remuant de temps en temps jusqu'à ce que le risotto soit épais et onctueux.

6 Retirez la casserole du feu, incorporez la crème fraîche et couvrez. Laissez reposer environ 3 min pour terminer la cuisson, puis dressez dans un plat réchauffé et servez.

RISOTTO ÉPICÉ AU CALAMAR

LE CALAMAR DOIT ÊTRE CUIT TRÈS RAPIDEMENT OU TRÈS LENTEMENT. ICI, IL EST MARINÉ ET ATTENDRI
À LA NÉO-ZÉLANDAISE, DANS DU CITRON VERT ET DU KIWI.

POUR 3 À 4 PERSONNES

INGRÉDIENTS

    500 g de calamars
    environ 3 cuil. à soupe d'huile d'olive
    15 g de beurre
    1 oignon finement haché
    2 gousses d'ail écrasées
    1 piment rouge frais épépiné
       et finement émincé
    275 g de riz à risotto
    17,5 cl de vin blanc sec
    1 l de fumet de poisson frémissant
    2 cuil. à soupe de coriandre fraîche
       hachée
    sel et poivre noir fraîchement moulu
Pour la marinade
    2 kiwis bien mûrs, hachés et écrasés
    1 piment rouge frais épépiné
       et finement émincé
    2 cuil. à soupe de jus de citron vert

1 Nettoyez et préparez les calamars
en coupant les tentacules à la base
et en éliminant l'arête transparente.
Videz l'intérieur si nécessaire et enlevez
la fine peau extérieure. Rincez les
corps et émincez-les finement. Coupez
les tentacules en petits morceaux
en éliminant les yeux et l'arête
transparente.

2 Écrasez les kiwis dans une jatte puis
incorporez le piment et le jus de citron.
Ajoutez les calamars et remuez pour
bien les enduire de marinade. Salez,
poivrez, couvrez de film transparent
et réservez 4 heures au réfrigérateur,
ou toute la nuit.

3 Égouttez les calamars. Chauffez
1 cuil. à soupe d'huile d'olive dans
une poêle et faites cuire les anneaux
30 à 60 secondes à feu vif, en
plusieurs fois si nécessaire (la cuisson
des calamars doit être très rapide).
Transférez-les dans une assiette et
réservez-les. Si trop de jus se forme
au fond de la poêle, versez-le dans un
pot et rajoutez de l'huile d'olive pour
la prochaine fournée, afin que les
calamars soient frits et non bouillis.
Réservez l'excès de jus de cuisson
dans un pot.

4 Chauffez le reste d'huile et le beurre
dans une grande casserole et faites
fondre l'oignon et l'ail 5 à 6 min à feu
doux. Ajoutez le piment émincé et
faites-le revenir 1 min.

5 Ajoutez le riz et remuez, jusqu'à ce
qu'il soit enduit d'huile et légèrement
transparent. Mouillez avec le vin et
remuez jusqu'à ce qu'il soit absorbé.

6 Incorporez progressivement le fumet
chaud et le jus de cuisson réservé,
louche par louche et sans cesser
de remuer, en laissant le riz absorber
le liquide avant de verser la louche
suivante.

7 Quand le riz est aux trois quarts cuit,
incorporez les calamars et prolongez
la cuisson jusqu'à ce que tout le
bouillon soit absorbé et le riz tendre
mais *al dente*. Incorporez la coriandre,
couvrez avec un couvercle ou un
torchon et laissez reposer quelques
minutes avant de servir.

CONSEIL
Bien que le fumet de poisson souligne le
goût du calamar, on peut lui substituer un
bouillon de volaille ou de légumes léger.

RISOTTO AUX MOULES

La coriandre et le gingembre frais parfument agréablement ce plat, tandis que les piments verts le corsent subtilement. Pour une saveur plus douce, omettez les piments.

POUR 3 À 4 PERSONNES

INGRÉDIENTS

900 g de moules fraîches
environ 25 cl de vin blanc sec
2 cuil. à soupe d'huile d'olive
1 oignon haché
2 gousses d'ail écrasées
1 ou 2 piment(s) vert(s) épépiné(s)
   et finement émincé(s)
un morceau de gingembre frais
   de 2,5 cm, râpé
275 g de riz à risotto
90 cl de fumet de poisson frémissant
2 cuil. à soupe de coriandre fraîche
   hachée
2 cuil. à soupe de crème fraîche
sel et poivre noir fraîchement
   moulu

3 Ajoutez le riz et remuez-le quelques minutes à feu moyen jusqu'à ce qu'il soit bien enduit d'huile et légèrement transparent.

4 Incorporez le jus de cuisson réservé. Dès qu'il est absorbé, ajoutez le reste de vin et remuez jusqu'à ce qu'il soit absorbé à son tour. À présent, incorporez le fumet de poisson, louche par louche, en laissant le riz l'absorber avant de verser la louche suivante.

5 Quand le riz est aux trois quarts cuits, incorporez les moules. Ajoutez la coriandre puis salez et poivrez. Continuez à ajouter le fumet jusqu'à ce que le risotto soit onctueux et le riz tendre mais *al dente*.

6 Retirez le risotto du feu, incorporez la crème fraîche, couvrez la casserole et laissez reposer quelques minutes. Dressez dans un plat réchauffé et décorez avec les moules en coquille réservées.

1 Nettoyez les moules et éliminez celles qui restent ouvertes quand on tape dessus. Mettez-les dans une grande casserole, mouillez avec 12 cl de vin et portez à ébullition. Couvrez et faites cuire les moules 4 à 5 min jusqu'à ce qu'elles s'ouvrent, en secouant la casserole de temps en temps. Égouttez en réservant le jus de cuisson et en éliminant les moules restées fermées. Retirez presque toutes les moules de leur coquille, en gardant quelques coquilles pour la décoration. Passez le jus de cuisson.

2 Chauffez l'huile et faites fondre l'oignon et l'ail 3 à 4 min. Ajoutez les piments et prolongez la cuisson d'1 à 2 min à feu doux en remuant fréquemment. Incorporez le gingembre et faites-le revenir 1 min.

RISOTTO AUX FRUITS DE MER

N'IMPORTE QUEL POISSON OU CRUSTACÉ SE PRÊTERA À CETTE RECETTE, À CONDITION QUE LA QUANTITÉ SOIT CONFORME. CE RISOTTO PEUT AUSSI FAIRE UNE EXCELLENTE ENTRÉE POUR HUIT PERSONNES.

POUR 4 À 6 PERSONNES

INGRÉDIENTS

450 g de moules fraîches
environ 25 cl de vin blanc sec
225 g de filet de bar écaillé
   et détaillé en morceaux
farine assaisonnée
4 cuil. à soupe d'huile d'olive
8 noix de Saint-Jacques, corail
   séparé, parties blanches coupées
   en deux ou émincées selon la taille
225 g de calamars nettoyés et
   coupés en anneaux
12 grosses crevettes ou langoustines
   étêtées
2 échalotes finement hachées
1 gousse d'ail écrasée
400 g de riz à risotto, Carnaroli
   de préférence
3 tomates pelées, épépinées et
   hachées
1,5 l de fumet de poisson frémissant
2 cuil. à soupe de persil frais haché
2 cuil. à soupe de crème fraîche
   épaisse
sel et poivre noir fraîchement moulu

1 Nettoyez les moules et éliminez celles qui restent ouvertes quand on tape dessus. Mettez-les dans une grande casserole, mouillez avec 6 cuil. à soupe de vin et portez à ébullition. Couvrez et faites cuire les moules 3 à 4 min jusqu'à ce qu'elles s'ouvrent, en secouant la casserole de temps en temps. Égouttez en réservant le jus de cuisson et en éliminant les moules qui sont restées fermées. Gardez quelques moules dans leur coquille pour la garniture et passez le jus de cuisson.

2 Farinez les morceaux de bar. Chauffez 2 cuil. à soupe d'huile d'olive dans une poêle et saisissez le poisson 3 à 4 min. Réservez dans une assiette. Rajoutez un peu d'huile dans la poêle et faites revenir le blanc des noix de Saint-Jacques 1 à 2 min des deux côtés. Réservez dans une assiette.

3 Faites revenir les calamars environ 3 à 4 min dans la poêle, en rajoutant un peu d'huile si nécessaire, puis réservez. Enfin, mettez les crevettes ou langoustines et faites-les cuire 3 à 4 min, jusqu'à ce qu'elles rosissent, en les retournant fréquemment. En fin de cuisson, mouillez avec un filet de vin (environ 2 cuil. à soupe) et prolongez la cuisson jusqu'à ce que les crevettes deviennent tendres sans brûler. Retirez les crevettes de la poêle et, quand elles sont refroidies, décortiquez-les en laissant la queue intacte.

4 Dans une grande casserole, chauffez le reste d'huile et faites fondre les échalotes et l'ail 3 à 4 min à feu doux, sans les laisser brunir. Ajoutez le riz et remuez quelques minutes jusqu'à ce qu'il soit bien enduit d'huile et légèrement transparent. Incorporez les tomates, avec le jus de cuisson réservé des moules.

5 Quand tout le liquide est absorbé, ajoutez le reste de vin sans cesser de remuer. Une fois qu'il est absorbé, incorporez progressivement le fumet chaud, louche par louche et sans cesser de remuer, en laissant le riz l'absorber avant de verser la louche suivante.

6 Quand le risotto est aux trois quarts cuit, incorporez délicatement les fruits de mer, sauf les moules réservées pour la garniture. Prolongez la cuisson jusqu'à ce que tout le fumet soit absorbé et le riz tendre mais *al dente*.

7 Incorporez le persil et la crème fraîche et vérifiez l'assaisonnement. Couvrez la casserole et laissez reposer 2 à 3 min. Servez dans des assiettes individuelles, garni de moules dans leur coquille.

RISOTTO AU CHAMPAGNE

*QUOIQUE EXTRAVAGANTE, CETTE RECETTE N'EN EST PAS MOINS DÉLICIEUSE ET PROPICE
À TOUTES LES GRANDES OCCASIONS.*

POUR 3 À 4 PERSONNES

INGRÉDIENTS

    25 g de beurre

    2 échalotes finement hachées

    275 g de riz à risotto, Carnaroli
      de préférence

    1/2 bouteille de champagne

    75 cl de bouillon de légumes ou
      de volaille léger

    15 cl de crème fraîche épaisse

    40 g de parmesan fraîchement râpé

    2 cuil. à café de cerfeuil très
      finement haché

    sel et poivre noir fraîchement
      moulu

    copeaux de truffe noire, pour
      la garniture (facultatif)

1 Faites fondre le beurre dans une
casserole et faites revenir les échalotes
2 à 3 min. Ajoutez le riz et remuez
jusqu'à ce que les grains soient bien
enduits de beurre et commencent
à devenir transparents.

2 Mouillez avec les deux tiers du
champagne et faites cuire à feu vif afin
que le liquide bout à gros bouillons.
Remuez jusqu'à ce que le liquide
soit absorbé avant de commencer
à incorporer le bouillon.

3 Ajoutez le bouillon, louche par
louche et sans cesser de remuer, en
laissant le riz l'absorber avant de verser
la louche suivante. Le risotto doit être
de plus en plus onctueux et velouté.

4 Quand tout le bouillon est absorbé,
incorporez le reste de champagne, la
crème fraîche et le parmesan. Vérifiez
l'assaisonnement. Retirez du feu,
couvrez et laissez reposer quelques
minutes. Incorporez le cerfeuil. Pour
une touche raffinée, garnissez avec
quelques copeaux de truffe.

RISOTTO AUX POIVRONS GRILLÉS

VOICI UN PLAT VÉGÉTARIEN TOUT TROUVÉ OU UNE ENTRÉE POUR SIX PERSONNES.

POUR 3 À 4 PERSONNES

INGRÉDIENTS

1 poivron rouge
1 poivron jaune
1 cuil. à soupe d'huile d'olive
25 g de beurre
1 oignon haché
2 gousses d'ail écrasées
275 g de riz à risotto
1 l de bouillon de légumes
   frémissant
50 g de parmesan fraîchement râpé
sel et poivre noir fraîchement
   moulu
parmesan fraîchement râpé,
   pour la garniture (facultatif)

1 Préchauffez le gril à température maximum. Coupez les poivrons en deux, retirez les graines et les membranes puis disposez-les, côté bombé dessus, dans une lèchefrite. Passez sous le gril 5 à 6 min, jusqu'à ce que la peau noircisse.

2 Mettez les poivrons dans un sac en plastique, fermez-le et laissez reposer 4 à 5 min. Pelez les poivrons une fois qu'ils sont refroidis, puis détaillez-les en fines lanières.

3 Chauffez l'huile et le beurre dans une casserole et faites fondre l'oignon et l'ail 4 à 5 min à feu doux. Ajoutez les poivrons et faites-les revenir 3 à 4 min, en remuant de temps en temps.

4 Incorporez le riz et remuez 3 à 4 min à feu moyen, jusqu'à ce qu'il soit bien enduit d'huile et commence à devenir transparent.

5 Mouillez avec une louche de bouillon. Faites cuire sans cesser de remuer jusqu'à ce qu'il soit absorbé. Continuez à incorporer le bouillon, louche par louche, en laissant le riz l'absorber avant de verser la louche suivante.

6 Quand le riz est tendre mais *al dente*, incorporez le parmesan et vérifiez l'assaisonnement. Couvrez et laissez reposer 3 à 4 min. Servez éventuellement avec un bol de parmesan râpé.

RISOTTO AUX DEUX FROMAGES

*RICHE ET CRÉMEUX, CE RISOTTO ASSOCIANT LA FONTINA ET LE PARMESAN SAURA RÉCHAUFFER
VOS SOIRÉES D'HIVER.*

POUR 3 À 4 PERSONNES

INGRÉDIENTS

    1 cuil. à soupe d'huile d'olive
    50 g de beurre
    1 oignon finement haché
    1 gousse d'ail écrasée
    275 g de riz à risotto, Vialone Nano
      de préférence
    17,5 cl de vin blanc sec
    1 l de bouillon de légumes ou
      de volaille frémissant
    75 g de fontina détaillée en dés
    50 g de parmesan fraîchement râpé,
      plus un peu pour la garniture
    sel et poivre noir fraîchement
      moulu

1 Chauffez l'huile et la moitié du
beurre dans une casserole et faites
fondre l'oignon 5 à 6 min à feu doux.
Ajoutez le riz et remuez jusqu'à ce que
les grains soient bien enduits d'huile
et commencent à devenir transparents.

2 Mouillez avec le vin et remuez
jusqu'à ce qu'il soit absorbé. Ajoutez
une louche de bouillon chaud et
continuez ainsi, louche par louche
et sans cesser de remuer, en laissant
le riz absorber le bouillon avant de
verser la louche suivante.

3 Quand le riz est à moitié cuit,
incorporez la fontina et continuez la
cuisson en ajoutant du bouillon sans
cesser de remuer.

4 Quand le risotto est onctueux et le riz
tendre mais *al dente*, incorporez le reste
de beurre et le parmesan. Salez, poivrez,
puis retirez la casserole du feu, couvrez
et laissez reposer 3 min avant de servir.

RISOTTO « MINUTE »

*VOICI UNE RECETTE DE RISOTTO QUELQUE PEU SIMPLIFIÉE, DANS LAQUELLE LE RIZ EST CUIT
SELON LA MANIÈRE HABITUELLE ET LES INGRÉDIENTS INCORPORÉS AU DERNIER MOMENT.
IL N'EN RESTE PAS MOINS TOUT À FAIT DÉLECTABLE.*

POUR 3 À 4 PERSONNES

INGRÉDIENTS

    275 g de riz à risotto
    1 l de bouillon de volaille frémissant
    115 g de mozzarella coupée
      en petits dés
    2 jaunes d'œuf
    2 cuil. à soupe de parmesan
      fraîchement râpé, plus un peu
      pour la garniture
    75 g de jambon blanc coupé
      en petits dés
    2 cuil. à soupe de persil frais haché
    sel et poivre noir fraîchement
      moulu
    brins de persil frais, pour
      la garniture

1 Dans une casserole, réunissez le riz
et le bouillon. Portez à ébullition, puis
couvrez et laissez mijoter 18 à 20 min,
jusqu'à ce que le riz soit tendre.

2 Retirez la casserole du feu et
incorporez rapidement la mozzarella,
les jaunes d'œuf, le parmesan, le
jambon et le persil. Salez et poivrez.

3 Couvrez la casserole et laissez reposer
2 à 3 min afin de permettre au fromage
de fondre. Remuez à nouveau. Dressez
dans un plat de service réchauffé
et servez immédiatement, accompagné
d'un bol de parmesan râpé.

RISOTTO AU PESTO

Si vous achetez le pesto (il en existe de bonnes variétés sur le marché), cette recette ne présente aucune difficulté.

POUR 3 À 4 PERSONNES

INGRÉDIENTS

2 cuil. à soupe d'huile d'olive
2 échalotes finement hachées
1 gousse d'ail écrasée
275 g de riz à risotto
17,5 cl de vin blanc sec
1 l de bouillon de légumes
  frémissant
3 cuil. à soupe de pesto
25 g de parmesan fraîchement râpé,
  plus un peu pour la garniture
  (facultatif)
sel et poivre noir fraîchement moulu

1 Chauffez l'huile d'olive dans une casserole et faites fondre les échalotes et l'ail 4 à 5 min, sans les laisser brunir.

2 Ajoutez le riz et remuez à feu moyen jusqu'à ce que les grains soient bien enduits d'huile et commencent à devenir transparents.

3 Mouillez avec le vin et faites cuire sans cesser de remuer jusqu'à ce qu'il soit absorbé. Commencez alors à ajouter le bouillon, louche par louche et sans cesser de remuer, en laissant le riz l'absorber avant de verser la louche suivante.

4 Au bout de 20 min environ, quand tout le bouillon est absorbé et que le riz est tendre, incorporez le pesto et le parmesan. Vérifiez l'assaisonnement, puis couvrez et laissez reposer 3 à 4 min. Dressez dans un plat et servez éventuellement avec du parmesan râpé.

RISOTTO AU POTIRON ET À LA POMME

Le potiron et autres courges d'hiver, très appréciés en Italie, entrent dans la composition de nombreuses recettes. Si ce n'est pas la saison des potirons, remplacez-le par de la courge « doubeurre », au goût légèrement différent mais tout aussi agréable.

POUR 3 À 4 PERSONNES

INGRÉDIENTS

225 g de potiron ou de doubeurre
1 pomme à cuire
12 cl d'eau
25 g de beurre
1 cuil. à soupe d'huile d'olive
1 oignon finement haché
1 gousse d'ail écrasée
275 g de riz à risotto (Vialone Nano)
17,5 cl de vin blanc fruité
90 cl de bouillon de légumes
  frémissant
75 g de parmesan fraîchement râpé
sel et poivre noir fraîchement
  moulu

1 Détaillez le potiron en petits cubes. Pelez, évidez et hachez grossièrement la pomme. Mettez le tout dans une casserole et mouillez avec l'eau. Portez à ébullition, puis laissez mijoter 15 à 20 min, jusqu'à ce que le potiron soit bien tendre. Égouttez, remettez dans la casserole et ajoutez la moitié du beurre. Écrasez les gros morceaux à la fourchette, sans toutefois les réduire en purée.

2 Chauffez l'huile et le reste de beurre dans une casserole et faites fondre l'oignon et l'ail. Versez le riz en pluie et remuez 2 min à feu moyen jusqu'à ce qu'il soit enduit d'huile et commence à devenir transparent.

3 Mouillez avec le vin et remuez jusqu'à ce qu'il soit absorbé. Ajoutez le bouillon, louche par louche et sans cesser de remuer, en laissant le riz l'absorber avant de verser la louche suivante. Comptez environ 20 min.

4 Quand il ne reste plus que deux louches de bouillon, ajoutez le potiron et la pomme en même temps qu'une louche de bouillon. Continuez à cuire sans cesser de remuer, en ajoutant le reste de bouillon. Le risotto doit être très onctueux. Incorporez le parmesan, vérifiez l'assaisonnement et servez aussitôt.

RISOTTO AUX HARICOTS BORLOTTI

AUTRE GRAND CLASSIQUE, CE RISOTTO COMBINE LE PARFUM PUISSANT DU ROMARIN, LA SAVEUR SUBTILE DES HARICOTS SECS ET L'ONCTUOSITÉ DU MASCARPONE ET DU PARMESAN.

POUR 3 À 4 PERSONNES

INGRÉDIENTS

400 g de haricots borlotti
(ou cocos roses)
2 cuil. à soupe d'huile d'olive
1 oignon haché
2 gousses d'ail écrasées
275 g de riz à risotto
17,5 cl de vin blanc sec
90 cl de bouillon de légumes
ou de volaille frémissant
4 cuil. à soupe de mascarpone
65 g de parmesan fraîchement râpé,
plus un peu pour la garniture
(facultatif)
1 cuil. à café de romarin frais haché
sel et poivre noir fraîchement moulu

1 Égouttez les haricots, rincez-les à l'eau froide et égouttez-les à nouveau. Avec un mixeur, réduisez les deux tiers en une purée grossière. Réservez le reste des haricots.

2 Chauffez l'huile dans une grande casserole et faites fondre l'oignon et l'ail 6 à 8 min à feu doux. Ajoutez le riz et remuez quelques minutes à feu moyen jusqu'à ce qu'il soit bien enduit d'huile et commence à devenir transparent.

VARIANTE
On peut parfaitement remplacer le romarin par du thym ou de la marjolaine fraîche. L'un des grands avantages du risotto est qu'il se prête à toutes les variantes. Essayez différentes herbes pour concocter votre propre recette.

3 Mouillez avec le vin et remuez pendant 2 à 3 min à feu moyen jusqu'à ce qu'il soit complètement absorbé. Ajoutez le bouillon, louche par louche et sans cesser de remuer, en laissant le riz l'absorber avant de verser la louche suivante.

4 Quand le riz est aux trois quarts cuit, incorporez la purée de haricots. Continuez à cuire le risotto avec le reste de bouillon, jusqu'à ce qu'il soit onctueux et le riz tendre mais *al dente*. Ajoutez les haricots réservés, le mascarpone, le parmesan et le romarin ; salez et poivrez. Remuez le tout puis couvrez et laissez reposer 5 min afin que le risotto s'imprègne des différents arômes. Servez éventuellement avec un bol de parmesan râpé.

RISOTTO AU TOPINAMBOUR

Ce risotto simple et chaleureux se distingue par la saveur fine et délicate du topinambour, un légume d'automne à découvrir.

POUR 3 À 4 PERSONNES

INGRÉDIENTS

400 g de topinambours
40 g de beurre
1 cuil. à soupe d'huile d'olive
1 oignon finement haché
1 gousse d'ail écrasée
275 g de riz à risotto
12 cl de vin blanc fruité
1 l de bouillon de légumes
  frémissant
2 cuil. à café de thym frais haché
40 g de parmesan fraîchement râpé,
  plus un peu pour la garniture
sel et poivre noir fraîchement moulu
brins de thym frais,
  pour la garniture

1 Épluchez les topinambours et détaillez-les en morceaux. Plongez-les aussitôt dans une casserole d'eau salée. Laissez mijoter jusqu'à ce qu'ils soient tendres, puis égouttez et écrasez avec 15 g de beurre. Salez si nécessaire.

2 Chauffez l'huile et le reste de beurre dans une casserole et faites fondre l'oignon et l'ail 5 à 6 min. Ajoutez le riz et remuez 2 min environ à feu moyen jusqu'à ce que les grains commencent à devenir transparents.

3 Mouillez avec le vin et remuez jusqu'à ce qu'il soit absorbé. Commencez à ajouter le bouillon, louche par louche, en laissant le riz l'absorber avant de verser la louche suivante.

4 Quand il ne reste plus qu'une louche de bouillon à ajouter, incorporez la purée de topinambours et le thym haché. Salez et poivrez. Continuez à cuire le risotto jusqu'à ce qu'il soit onctueux et les topinambours bien chauds. Incorporez le parmesan puis retirez la casserole du feu, couvrez et laissez reposer quelques minutes. Dressez dans un plat de service et garnissez de thym. Servez avec un bol de parmesan râpé.

RISOTTO AU CANARD

Ce plat principal pour trois peut aussi se servir en entrée pour six personnes. Dans le premier cas, accompagnez-le d'une salade verte, de haricots mange-tout ou encore de poivron rouge.

POUR 3 À 4 PERSONNES

INGRÉDIENTS

2 magrets de canard
2 cuil. à soupe de cognac
2 cuil. à soupe de jus d'orange
1 cuil. à soupe d'huile d'olive
   (facultatif)
1 oignon finement haché
1 gousse d'ail écrasée
275 g de riz à risotto
1 à 1,2 l de bouillon de volaille
   frémissant
1 cuil. à café de thym frais haché
1 cuil. à café de menthe fraîche
   hachée
2 cuil. à café de zeste d'orange râpé
40 g de parmesan fraîchement râpé
sel et poivre noir fraîchement moulu
fines lamelles de zeste d'orange,
   pour la garniture

1 Incisez le côté gras des magrets et frottez-les de sel. Faites-les suer 6 à 8 min à feu moyen, côté gras dessous, dans une poêle épaisse. Transférez-les alors dans une assiette et éliminez le gras en tirant dessus. Découpez la chair en lanières de 2 cm de large environ.

2 Versez la graisse fondue dans un récipient, en en laissant 1 cuil. à soupe dans la poêle. Faites dorer les lanières de canard 2 à 3 min à feu moyen-vif, mais sans les laisser trop cuire. Ajoutez le cognac, portez au point d'ébullition et faites flamber en inclinant la poêle ou en utilisant une longue allumette. Quand il n'y a plus de flammes, ajoutez le jus d'orange puis salez et poivrez. Retirez du feu et réservez.

3 Dans une casserole, chauffez 1 cuil. à soupe de graisse de canard ou d'huile d'olive (le cas échéant). Faites fondre l'oignon et l'ail à feu doux, sans les laisser brunir. Ajoutez le riz et remuez jusqu'à ce que les grains soient bien enduits d'huile et commencent à devenir transparents.

4 Versez le bouillon, louche par louche et sans cesser de remuer, en laissant le riz l'absorber avant de verser la louche suivante. Juste avant d'incorporer la dernière louche, ajoutez le canard, le thym et la menthe. Continuez à cuire le risotto jusqu'à ce qu'il soit onctueux et le riz tendre mais *al dente*.

5 Ajoutez le zeste d'orange et le parmesan. Vérifiez l'assaisonnement puis retirez du feu, couvrez et laissez reposer quelques minutes. Servez dans des assiettes individuelles, garni de zeste d'orange.

RISOTTO AUX FOIES DE VOLAILLE

LA COMBINAISON DE FOIES DE VOLAILLE, DE BACON, DE PERSIL ET DE THYM DONNE À CE RISOTTO UNE SAVEUR INCOMPARABLE. SERVEZ-LE EN ENTRÉE POUR QUATRE OU EN PLAT DE RÉSISTANCE POUR DEUX.

POUR 2 À 4 PERSONNES

INGRÉDIENTS

175 g de foies de volaille
1 cuil. à soupe d'huile d'olive
25 g de beurre
40 g de speck ou 3 tranches de
  bacon entrelardé découenné,
  finement haché
2 échalotes finement hachées
1 gousse d'ail écrasée
1 branche de céleri finement émincée
275 g de riz à risotto
17,5 cl de vin blanc sec
90 cl de bouillon de volaille frémissant
1 cuil. à café de thym frais haché
1 cuil. à soupe de persil frais haché
sel et poivre noir fraîchement moulu
brins de persil et de thym, pour
  la garniture

1 Nettoyez et parez les foies de volaille. Rincez-les bien puis essuyez-les dans du papier absorbant. Détaillez en petits morceaux réguliers.

2 Chauffez l'huile et le beurre dans une poêle et faites revenir le speck ou le bacon 2 à 3 min. Ajoutez les échalotes, l'ail et le céleri et continuez à cuire 3 à 4 min à feu doux, jusqu'à ce que les légumes soient légèrement ramollis. Augmentez le feu et incorporez les foies de volaille, en remuant quelques minutes jusqu'à ce qu'ils soient bien dorés.

3 Ajoutez le riz et remuez quelques minutes. Mouillez avec le vin puis laissez bouillir jusqu'à ce qu'il s'évapore. Remuez fréquemment, en prenant soin de ne pas écraser les foies. Quand le vin est absorbé, ajoutez le bouillon, louche par louche, sans cesser de remuer.

4 À mi-cuisson, ajoutez le thym puis salez et poivrez. Continuez à incorporer le bouillon, en laissant le riz l'absorber avant de verser la louche suivante.

5 Quand le risotto est onctueux et le riz tendre mais *al dente*, incorporez le persil. Vérifiez l'assaisonnement, puis retirez du feu, couvrez et laissez reposer quelques minutes. Servez avec quelques brins de persil et de thym.

RISOTTO AU POIREAU ET AU JAMBON

Voici une autre recette toute simple, à déguster en famille ou entre amis.

POUR 3 À 4 PERSONNES

INGRÉDIENTS

    1 cuil. à café d'huile d'olive

    40 g de beurre

    2 poireaux émincés

    175 g de prosciutto grossièrement
      haché

    75 g de petits champignons
      de Paris émincés

    275 g de riz à risotto

    1 l de bouillon de volaille frémissant

    3 cuil. à soupe de persil plat
      haché

    40 g de parmesan fraîchement râpé

    sel et poivre noir fraîchement
      moulu

1 Chauffez l'huile et le beurre dans une casserole et faites fondre les poireaux. Réservez quelques morceaux de jambon pour la garniture et ajoutez le reste dans la casserole. Faites revenir 1 min, puis ajoutez les champignons et prolongez la cuisson de 3 min, sans cesser de remuer.

2 Ajoutez le riz et remuez 1 à 2 min jusqu'à ce que les grains soient enduits d'huile et commencent à devenir transparents. Incorporez une louche de bouillon chaud et remuez jusqu'à ce qu'il soit complètement absorbé. Ajoutez une nouvelle louche et continuez ainsi jusqu'à ce que tout le bouillon soit absorbé.

3 Quand le risotto est onctueux et le riz tendre mais *al dente*, incorporez le persil et le parmesan. Vérifiez l'assaisonnement, puis retirez du feu, couvrez et laissez reposer quelques minutes. Dressez dans un plat et garnissez du prosciutto réservé.

RISOTTO AU LAPIN ET À LA CITRONNELLE

La citronnelle confère une agréable saveur à ce risotto. À défaut de lapin, utilisez du poulet ou de la dinde.

POUR 3 À 4 PERSONNES

INGRÉDIENTS

    225 g de chair de lapin détaillée
      en lanières

    farine assaisonnée

    50 g de beurre

    1 cuil. à soupe d'huile d'olive

    3 cuil. à soupe de xérès sec

    1 oignon finement haché

    1 gousse d'ail écrasée

    1 tige de citronnelle pelée et
      très finement émincée

    275 g de riz à risotto, Carnaroli
      de préférence

    1 l de bouillon de volaille frémissant

    2 cuil. à café de thym frais haché

    3 cuil. à soupe de crème fraîche
      épaisse

    25 g de parmesan fraîchement râpé

    sel et poivre noir fraîchement moulu

1 Roulez les morceaux de lapin dans la farine. Chauffez la moitié du beurre et de l'huile dans une poêle et saisissez rapidement le lapin jusqu'à ce qu'il soit doré. Mouillez avec le xérès et laissez bouillir brièvement afin que l'alcool s'évapore. Salez, poivrez et réservez.

2 Chauffez le reste d'huile et de beurre dans une grande casserole et faites fondre l'oignon et l'ail environ 4 à 5 min à feu doux. Ajoutez alors la citronnelle et prolongez la cuisson de quelques minutes.

3 Ajoutez le riz et remuez bien. Mouillez avec une louche de bouillon et remuez jusqu'à ce qu'il soit absorbé. Continuez à incorporer le bouillon, louche par louche, sans cesser de remuer. Quand le riz est presque prêt, incorporez les trois quarts du lapin avec le jus de cuisson. Ajoutez le thym, le sel et le poivre.

4 Continuez à cuire le risotto jusqu'à ce que le riz soit tendre. Incorporez la crème fraîche et le parmesan, puis retirez du feu, couvrez et laissez reposer 5 minutes. Servez garni de lanières de lapin.

RISOTTO À LA POMME ET AU CITRON GARNI DE PRUNES POCHÉES

BIEN QU'IL SOIT POSSIBLE DE PRÉPARER CE DESSERT COMME UN RISOTTO TRADITIONNEL
— EN INCORPORANT LE LIQUIDE PEU À PEU — IL EST PLUS PRATIQUE DE CUIRE LE RIZ DANS LE LAIT,
À LA MANIÈRE D'UN GÂTEAU DE RIZ.

POUR 4 PERSONNES

INGRÉDIENTS
- 1 pomme à cuire
- 15 g de beurre
- 175 g de riz à risotto
- 60 cl de lait entier
- environ 50 g de sucre en poudre
- 1/4 de cuil. à café de cannelle moulue
- 2 cuil. à soupe de jus de citron
- 3 cuil. à soupe de crème fraîche
- le zeste râpé d'1 citron

Pour les prunes pochées
- 50 g de sucre muscovado
- 20 cl de jus de pomme
- 3 anis étoilés
- 1 bâton de cannelle
- 6 prunes coupées en deux et émincées

1 Pelez et évidez la pomme, puis détaillez-la en gros morceaux. Mettez-les dans une casserole antiadhérante avec le beurre. Chauffez à feu doux jusqu'à ce que le beurre soit fondu.

2 Ajoutez le riz et le lait et mélangez bien. Portez à ébullition à feu moyen, puis laissez mijoter très doucement pendant 20 à 25 min, en remuant de temps en temps.

CONSEIL
Si la pomme est très acide, le lait risque de cailler. Ne vous en faites pas : cela ne nuira en rien à l'aspect ni au goût du risotto.

3 Pour les prunes pochées, réunissez le sucre et 15 cl de jus de pomme dans une casserole. Ajoutez les épices et portez à ébullition ; laissez bouillir 2 min. Ajoutez les prunes et laissez mijoter encore 2 min. Réservez.

4 Incorporez le sucre, la cannelle et le jus de citron dans le risotto. Faites cuire 2 min sans cesser de remuer, puis incorporez la crème fraîche. Goûtez et rajoutez du sucre si nécessaire. Décorez de zeste de citron et servez avec les prunes pochées.

RISOTTO AU CHOCOLAT

Si vous n'avez jamais goûté à un risotto sucré, voici une recette particulièrement savoureuse. Son succès est garanti auprès des enfants !

POUR 4 À 6 PERSONNES

INGRÉDIENTS
175 g de riz à risotto
60 cl de lait entier
75 g de chocolat noir
25 g de beurre
environ 50 g de sucre en poudre
1 pincée de cannelle moulue
4 cuil. à soupe de crème fraîche
framboises fraîches et copeaux
   de chocolat, pour la garniture
sauce au chocolat, pour
   l'accompagnement

3 Retirez du feu et incorporez la cannelle et la crème fraîche. Couvrez la casserole et laissez reposer quelques minutes.

4 Répartissez le risotto dans des coupes ou des assiettes individuelles et décorez de framboises et de copeaux de chocolat. Servez avec une sauce au chocolat.

1 Mettez le riz dans une casserole antiadhérante. Versez le lait et portez à ébullition à feu moyen-doux. Baissez le feu au minimum et laissez mijoter très doucement 20 min, en remuant de temps en temps (le riz doit être très tendre).

2 Incorporez le chocolat au préalable cassé en morceaux, le beurre et le sucre. Prolongez la cuisson d'1 à 2 min à feu très doux, sans cesser de remuer, jusqu'à ce que le chocolat soit fondu.

POULET BIRYANI

EXQUISE ET FACILE À PRÉPARER, CETTE SPÉCIALITÉ INDIENNE FERA UN DÎNER TRÈS SIMPLE.

POUR 4 PERSONNES

INGRÉDIENTS

10 capsules de cardamome verte
275 g de riz basmati, trempé et égoutté
1/2 cuil. à café de sel
2 ou 3 clous de girofle
1 bâton de cannelle de 5 cm
3 cuil. à soupe d'huile végétale
3 oignons émincés
4 blancs de poulet de 175 g chaque,
  détaillés en cubes
1/4 de cuil. à café de clous de girofle
  moulus
1/4 de cuil. à café de piment en poudre
1 cuil. à café de cumin moulu
1 cuil. à café de coriandre moulue
1/2 cuil. à café de poivre noir moulu
3 gousses d'ail hachées
1 cuil. à café de gingembre frais haché
le jus d'1 citron
4 tomates émincées
2 cuil. à soupe de coriandre fraîche
  hachée
15 cl de yaourt nature
4 à 5 stigmates de safran trempés
  dans 2 cuil. à café de lait chaud
15 cl d'eau
amandes effilées grillées et brins de
  coriandre frais, pour la garniture
yaourt nature, pour l'accompagnement

1 Préchauffez le four à th. 6-7. Retirez les graines de la moitié des capsules de cardamome et broyez-les dans un mortier. Réservez. Portez une casserole d'eau à ébullition et ajoutez le riz, le sel, les capsules de cardamome entières, les clous de girofle et le bâton de cannelle. Faites bouillir 2 min, puis passez en réservant les épices entières dans le riz.

2 Chauffez l'huile dans une poêle et faites dorer les oignons 8 min. Ajoutez le poulet et les épices moulues, y compris la cardamome broyée. Mélangez bien, puis ajoutez l'ail, le gingembre et le jus de citron. Faites revenir 5 min sans cesser de remuer.

3 Transférez le contenu de la poêle dans une cocotte et disposez les tomates dessus. Parsemez de coriandre fraîche et répartissez équitablement le yaourt sur le tout. Couvrez avec le riz égoutté.

4 Arrosez le riz de lait safrané et mouillez avec l'eau. Couvrez hermétiquement et enfournez 1 h. Dressez dans un plat de service réchauffé et retirez les épices entières du riz. Garnissez d'amandes effilées grillées et de brins de coriandre, et servez avec du yaourt nature.

RIZ PILAF AUX NOIX

CE PLAT S'ADRESSE TOUT PARTICULIÈREMENT AUX VÉGÉTARIENS. AJOUTEZ ÉVENTUELLEMENT QUELQUES CHAMPIGNONS DES BOIS.

POUR 4 PERSONNES

INGRÉDIENTS

1 à 2 cuil. à soupe d'huile de
   tournesol
1 oignon haché
1 gousse d'ail écrasée
1 belle carotte grossièrement râpée
225 g de riz basmati trempé
1 cuil. à café de graines de cumin
2 cuil. à café de coriandre moulue
2 cuil. à café de graines de moutarde
   noires (facultatif)
4 capsules de cardamome verte
45 cl de bouillon de légumes
   ou d'eau
1 feuille de laurier
75 g de noix et de noix de cajou
   non salées
sel et poivre noir fraîchement moulu
brins de persil ou de coriandre frais,
   pour la garniture

1 Chauffez l'huile dans une grande poêle et faites revenir l'oignon, l'ail et la carotte 3 à 4 min. Égouttez le riz et mettez-le dans la poêle avec les épices. Prolongez la cuisson d'1 à 2 min, en remuant bien.

2 Mouillez avec le bouillon ou l'eau, ajoutez la feuille de laurier, salez et poivrez. Portez à ébullition puis baissez le feu, couvrez et laissez mijoter 10 à 12 min à feu très doux.

3 Retirez la poêle du feu sans ôter le couvercle. Laissez reposer 5 min environ, puis vérifiez si le riz est cuit (il doit y avoir de petits « trous de vapeur » à la surface). Éliminez la feuille de laurier et les capsules de cardamome.

4 Incorporez les noix et les noix de cajou et vérifiez l'assaisonnement. Dressez dans un plat et garnissez de brins de persil ou de coriandre.

CONSEIL
Tous les fruits oléagineux se prêtent à cette recette : cacahuètes non salées, amandes, noix de cajou ou pistaches.

AGNEAU PARSI

CE PLAT EST PROCHE DU BIRYANI, MAIS ICI L'AGNEAU EST MARINÉ DANS LE YAOURT, SELON LA MÉTHODE TRADITIONNELLE PARSI. SERVEZ-LE AVEC UN DHAL OU DES CHAMPIGNONS AUX ÉPICES.

POUR 6 PERSONNES

INGRÉDIENTS
900 g de filet d'agneau coupé en
  cubes de 2,5 cm
4 cuil. à soupe de ghee ou de beurre
2 oignons émincés
450 g de pommes de terre coupées
  en gros morceaux
bouillon de volaille ou eau
450 g de riz basmati trempé
une généreuse pincée de stigmates
  de safran infusés dans 2 cuil. à
  soupe de lait chaud
brins de coriandre frais

Pour la marinade
50 cl de yaourt nature
3 à 4 gousses d'ail écrasées
2 cuil. à café de piment de Cayenne
4 cuil. à café de garam massala
2 cuil. à café de cumin moulu
1 cuil. à café de coriandre moulue

1 Préparez la marinade en mélangeant tous les ingrédients dans une jatte. Ajoutez la viande, remuez puis couvrez et laissez mariner 3 à 4 h au frais ou toute la nuit au réfrigérateur.

2 Faites fondre 2 cuil. à soupe de ghee ou de beurre dans une grande casserole et faites dorer les oignons 6 à 8 min. Transférez dans une assiette.

3 Faites fondre 1 cuil. à soupe 1/2 de ghee ou de beurre dans la casserole et faites revenir les cubes d'agneau marinés en plusieurs fois jusqu'à ce qu'ils soient bien dorés, en transférant chaque portion dans une assiette. Quand tout l'agneau est doré, remettez-le dans la casserole et ajoutez le reste de la marinade.

4 Incorporez les pommes de terre ainsi que trois quarts environ des oignons frits. Mouillez avec juste assez de bouillon de volaille ou d'eau pour couvrir le tout. Portez à ébullition puis couvrez et laissez mijoter 40 à 50 min à feu très doux, jusqu'à ce que la viande soit tendre et les pommes de terre cuites. Préchauffez le four à 160 °C (th. 5).

5 Égouttez le riz et faites-le cuire 5 min dans une casserole d'eau bouillante. Pendant ce temps, mettez l'agneau dans une cocotte. Égouttez le riz et disposez-le sur l'agneau. Avec une cuillère en bois, creusez un puits au centre et garnissez-le du reste d'oignons. Versez le lait safrané sur le tout et parsemez du reste de ghee ou de beurre.

6 Couvrez la cocotte d'une double feuille d'aluminium et d'un couvercle. Enfournez 30 à 35 min (le riz doit être complètement tendre). Garnissez de brins de coriandre avant de servir.

CONSEIL
Prenez garde de ne pas trop cuire le riz au moment de le blanchir. Les grains doivent rester durs tout en acquérant une consistance légèrement poudreuse.

RIZ INDIEN AUX TOMATES ET AUX ÉPINARDS

CE PLAT SAVOUREUX PEUT ACCOMPAGNER UN CURRY DE VIANDE OU CONSTITUER UN REPAS VÉGÉTARIEN.

POUR 4 PERSONNES

INGRÉDIENTS

2 cuil. à soupe d'huile de tournesol
1 cuil. à soupe de ghee ou de beurre
1 oignon haché
2 gousses d'ail écrasées
3 tomates pelées, épépinées
  et hachées
225 g de riz basmati complet,
  trempé
2 cuil. à café de dhana jeera
  en poudre ou 1 cuil. à café de
  coriandre moulue et 1 cuil. à café
  de cumin moulu
2 carottes grossièrement râpées
90 cl de bouillon de légumes
275 g de jeunes pousses d'épinard
  lavées
50 g de noix de cajou grillées
  non salées
sel et poivre noir fraîchement moulu

1 Chauffez l'huile et le ghee ou le beurre dans une cocotte et faites fondre l'oignon et l'ail 4 à 5 min à feu doux. Ajoutez les tomates hachées et prolongez la cuisson de 3 à 4 min, en remuant, jusqu'à épaississement.

2 Égouttez le riz, mettez-le dans la cocotte et faites-le cuire 1 à 2 min à feu doux, sans cesser de remuer, jusqu'à ce qu'il soit bien enduit d'oignon et de tomates.

CONSEIL
À défaut de jeunes pousses d'épinard, utilisez des feuilles d'épinard dont vous aurez retiré la tige et que vous aurez grossièrement hachées.

3 Incorporez le dhana jeera ou le mélange de coriandre et de cumin, puis ajoutez les carottes ; salez et poivrez. Mouillez avec le bouillon et mélangez bien.

4 Portez à ébullition, puis couvrez hermétiquement et laissez mijoter 20 à 25 min à feu très doux, jusqu'à ce que le riz soit tendre. Déposez les épinards à la surface du riz, couvrez à nouveau et prolongez la cuisson de 2 à 3 min. Mélangez le tout et vérifiez l'assaisonnement. Parsemez de noix de cajou avant de servir.

RIZ PILAF AUX ÉPICES ENTIÈRES

CE PLAT PARFUMÉ ACCOMPAGNERA À LA PERFECTION N'IMPORTE QUEL REPAS INDIEN.

POUR 4 PERSONNES

INGRÉDIENTS

    une généreuse pincée de stigmates
       de safran
    60 cl de bouillon de volaille
       bien chaud
    50 g de beurre
    1 oignon haché
    1 gousse d'ail écrasée
    1/2 bâton de cannelle
    6 capsules de cardamome verte
    1 feuille de laurier
    250 g de riz basmati
    50 g de raisins de Smyrne
    1 cuil. à soupe d'huile de tournesol
    50 g de noix de cajou
    pain naan et salade de tomates et
       d'oignon, pour l'accompagnement

1 Incorporez le safran dans un pichet de bouillon chaud et réservez.

2 Chauffez le beurre dans une casserole et faites revenir l'oignon et l'ail 5 min. Incorporez la cannelle, la cardamome et le laurier et faites cuire 2 min.

3 Ajoutez le riz et prolongez la cuisson de 2 min sans cesser de remuer. Mouillez avec le bouillon et ajoutez les raisins secs. Portez à ébullition, mélangez puis baissez le feu, couvrez et laissez mijoter 10 min à feu doux jusqu'à ce que le riz soit tendre et le liquide entièrement absorbé.

4 Pendant ce temps, chauffez l'huile dans une poêle et faites dorer les noix de cajou. Égouttez-les sur du papier absorbant avant d'en parsemer le riz. Servez éventuellement avec du pain naan et une salade de tomates et d'oignon.

CONSEIL
La cardamome noire ne se prête pas à cette recette. Beaucoup plus forte que la cardamome verte, elle ne s'utilise que dans les plats très épicés que l'on cuit longuement.

RIZ PILAF AUX CHAMPIGNONS

CE PLAT EST LA SIMPLICITÉ MÊME. SERVEZ-LE AVEC UN CURRY INDIEN OU AVEC DE L'AGNEAU OU DU POULET RÔTI.

POUR 4 PERSONNES

INGRÉDIENTS

2 cuil. à soupe d'huile végétale
2 échalotes finement hachées
1 gousse d'ail écrasée
3 capsules de cardamome verte
25 g de ghee ou de beurre
175 g de petits champignons
  de Paris émincés
225 g de riz basmati trempé
1 cuil. à café de gingembre frais râpé
une bonne pincée de garam massala
45 cl d'eau
1 cuil. à soupe de coriandre
  fraîche hachée
sel

1 Chauffez l'huile dans une cocotte et faites revenir les échalotes, l'ail et la cardamome 3 à 4 min à feu moyen, jusqu'à ce que les échalotes commencent à dorer.

2 Ajoutez le ghee ou le beurre. Quand il est fondu, incorporez les champignons et faites cuire 2 à 3 min.

3 Ajoutez le riz, le gingembre et le garam massala. Faites revenir 2 à 3 min à feu doux en remuant, puis incorporez l'eau et un peu de sel. Portez à ébullition, puis couvrez hermétiquement et laissez mijoter 10 min à feu très doux.

4 Retirez la cocotte du feu et laissez reposer 5 min à couvert. Ajoutez la coriandre hachée et remuez le tout à l'aide d'une fourchette. Dressez dans un plat de service et servez sans attendre.

DONBURI AU POULET ET AUX CHAMPIGNONS

LE DONBURI EST UN PLAT JAPONAIS COMPLET QUE L'ON MANGE DANS UN BOL ; IL DOIT D'AILLEURS SON NOM AU BOL DE PORCELAINE ÉPONYME. COMME DANS LA PLUPART DES PLATS JAPONAIS, LE RIZ EST SERVI NATURE MAIS FAIT INTÉGRALEMENT PARTIE DE LA RECETTE.

POUR 4 PERSONNES

INGRÉDIENTS

2 cuil. à café d'huile d'arachide
50 g de beurre
2 gousses d'ail écrasées
un morceau de 2,5 cm de gingembre
   frais râpé
5 oignons nouveaux émincés dans
   la diagonale
1 piment vert frais épépiné
   et finement émincé
3 blancs de poulet sans peau ni os
   détaillés en fines lanières
150 g de tofu détaillé en petits cubes
115 g de champignons shiitake
   sans pied, émincés
1 cuil. à soupe de vin de riz japonais
2 cuil. à soupe de sauce soja claire
2 cuil. à café de sucre semoule
40 cl de bouillon de volaille
Pour le riz
225 g de riz japonais ou de riz thaï
   au jasmin

1 Faites cuire le riz selon la méthode d'absorption ou selon les instructions du paquet.

2 Pendant ce temps, chauffez l'huile et la moitié du beurre dans une grande poêle et faites revenir l'ail, le gingembre, l'oignon nouveau et le piment 1 à 2 min en remuant. Ajoutez les lanières de poulet, en plusieurs fois si nécessaire, et faites-les bien dorer. Transférez le tout dans un plat.

3 Mettez le tofu dans la poêle. Faites revenir quelques minutes en remuant, puis ajoutez les champignons. Prolongez la cuisson de 2 à 3 min à feu moyen, sans cesser de remuer, jusqu'à ce que les champignons soient tendres.

4 Incorporez le vin de riz, la sauce soja et le sucre et faites cuire à feu vif 1 à 2 min sans cesser de remuer. Remettez le poulet dans la poêle, remuez pendant 2 min environ, puis mouillez avec le bouillon. Remuez bien et faites cuire 5 à 6 min à feu doux jusqu'à ébullition.

5 Répartissez le riz dans les bols individuels et déposez la garniture au poulet dessus, en veillant à ce que chaque portion soit généreusement nappée de sauce au poulet.

CONSEIL
Une fois le riz cuit, laissez-le couvert jusqu'au moment de servir. Il restera chaud 30 min environ. Aérez-le à la fourchette juste avant de servir.

RIZ CANTONAIS

CETTE RECETTE EST UN PEU PLUS ÉLABORÉE QUE LE TRADITIONNEL RIZ CANTONAIS.
ELLE CONSTITUE UN REPAS À PART ENTIÈRE.

POUR 4 PERSONNES

INGRÉDIENTS

    50 g de jambon cuit

    50 g de crevettes cuites décortiquées

    3 œufs

    1 cuil. à café de sel

    2 oignons nouveaux finement hachés

    4 cuil. à soupe d'huile végétale

    115 g de petits pois (décongelés
      s'ils sont surgelés)

    1 cuil. à soupe de sauce soja
      claire

    1 cuil. à soupe de vin de riz chinois
      ou de xérès sec

    450 g de riz blanc à longs grains cuit

1 Détaillez le jambon en dés. Essuyez les crevettes cuites sur du papier absorbant.

2 Dans une jatte, battez les œufs avec une pincée de sel et un peu d'oignon.

VARIANTES
Polyvalente, cette recette est parfaite pour utiliser des restes. Remplacez le jambon par du poulet ou de la dinde, en doublant les quantités si vous omettez les crevettes.

3 Chauffez la moitié de l'huile dans un wok et faites revenir les petits pois, les crevettes et le jambon 1 min en remuant, puis ajoutez la sauce soja et le vin de riz ou le xérès. Transférez dans une jatte et réservez au chaud.

4 Chauffez le reste de l'huile dans le wok et brouillez légèrement les œufs. Ajoutez le riz et remuez pour bien détacher les grains. Incorporez le reste de sel et d'oignons nouveaux, puis la préparation aux crevettes. Remuez sur le feu et servez chaud ou froid.

RIZ À LA NOIX DE COCO ET AU BASILIC

*POUR CE PLAT, LE RIZ DOIT ÊTRE PARTIELLEMENT BOUILLI AVANT DE MIJOTER DANS LE LAIT DE COCO,
AFIN DE MIEUX S'IMPRÉGNER DE L'ARÔME DES PIMENTS, DU BASILIC ET DES ÉPICES.*

POUR 4 PERSONNES

INGRÉDIENTS

350 g de riz thaï au jasmin rincé

2 à 3 cuil. à soupe d'huile d'arachide

1 gros oignon émincé en anneaux

1 gousse d'ail écrasée

1 piment rouge frais épépiné
et finement émincé

1 piment vert frais épépiné
et finement émincé

une généreuse poignée de feuilles
de basilic

3 blancs de poulet sans peau ni os
(environ 350 g) finement émincés

un morceau de citronnelle de 5 mm
concassé ou finement haché

un morceau de 50 g de noix de coco
en crème dilué dans 60 cl d'eau
bouillante

sel et poivre noir fraîchement moulu

1 Portez une casserole d'eau salée
à ébullition et faites partiellement cuire
le riz pendant 6 min environ. Égouttez.

2 Chauffez l'huile dans une poêle
et faites dorer l'oignon 5 à 10 min.
Égouttez-le sur du papier absorbant
et réservez.

3 Faites revenir l'ail et les piments
2 à 3 min dans l'huile restante,
puis ajoutez le basilic et prolongez
brièvement la cuisson jusqu'à ce qu'il
ramollisse. Retirez quelques feuilles
et réservez-les pour la garniture.
Ajoutez les lanières de poulet et la
citronnelle et faites dorer 2 à 3 min.

4 Ajoutez le riz et remuez quelques
minutes pour bien enduire les grains.
Mouillez avec la noix de coco diluée
et faites cuire 4 à 5 min, jusqu'à
ce que le riz soit tendre, en rajoutant
un peu d'eau si nécessaire. Vérifiez
l'assaisonnement, puis dressez le riz
dans un plat réchauffé, parsemez-le
d'oignon et de feuilles de basilic frits
et servez immédiatement.

RIZ INDONÉSIEN À L'ANANAS

*CETTE FAÇON DE PRÉSENTER LE RIZ EST TRÈS ESTHÉTIQUE ; ELLE CONTRIBUE EN OUTRE À REHAUSSER
LE PARFUM FRUITÉ DU PLAT.*

POUR 4 PERSONNES

INGRÉDIENTS

75 g de cacahuètes non grillées
et non salées

1 gros ananas

3 cuil. à soupe d'huile d'arachide
ou de tournesol

1 oignon haché

1 gousse d'ail écrasée

2 blancs de poulet (environ 225 g)
détaillés en lanières

225 g de riz thaï au jasmin rincé

60 cl de bouillon de volaille

1 tige de citronnelle légèrement
écrasée

2 épaisses tranches de jambon
détaillées en julienne

1 piment rouge frais épépiné
et très finement émincé

sel

1 Faites dorer les cacahuètes à sec dans
une poêle. Quand elles sont refroidies,
broyez un sixième dans un moulin à
café ou à fines herbes et hachez le reste.

2 Découpez un quartier d'ananas dans
la longueur, puis évidez toute la pulpe
pour laisser une coque bien nette.
Hachez 120 g d'ananas en cubes et
gardez le reste pour un autre plat.

3 Chauffez l'huile dans une casserole
et faites fondre l'oignon et l'ail 3 à
4 min. Ajoutez les lanières de poulet
et faites-les dorer quelques minutes
à feu vif, sans cesser de remuer.

4 Ajoutez le riz et remuez quelques
minutes. Mouillez avec le bouillon puis
incorporez la citronnelle et un peu de
sel. Portez au point d'ébullition, puis
baissez le feu, couvrez et laissez mijoter
10 à 12 min à feu doux jusqu'à ce que
le riz et le poulet soient tendres.

5 Incorporez les cacahuètes hachées,
les cubes d'ananas et le jambon puis
déposez le mélange dans la coque
d'ananas. Saupoudrez de cacahuètes
broyées et de piment émincé avant
de servir.

RIZ PERSAN AVEC « TAHDIG »

EXOTIQUE ET SAVOUREUSE, LA CUISINE IRANIENNE SE CARACTÉRISE PAR SES PARFUMS INTENSES.
LE TAHDIG EST LA CROÛTE DORÉE QUI SE FORME AU FOND DE LA CASSEROLE
PENDANT QUE LE RIZ CUIT.

POUR 6 À 8 PERSONNES

INGRÉDIENTS

  450 g de riz basmati trempé
  15 cl d'huile de tournesol
  2 gousses d'ail écrasées
  2 oignons (l'un haché et l'autre
    finement émincé)
  150 g de lentilles vertes trempées
  60 cl de bouillon
  50 g de raisins secs
  2 cuil. à café de coriandre moulue
  3 cuil. à soupe de purée de tomates
  quelques stigmates de safran
  1 jaune d'œuf battu
  2 cuil. à café de yaourt nature
  75 g de ghee fondu ou de beurre
    clarifié
  sel et poivre noir fraîchement moulu

1 Égouttez le riz puis faites-le cuire
3 min à l'eau bouillante salée. Égouttez
à nouveau.

2 Chauffez 2 cuil. à soupe d'huile dans
une grande casserole et faites revenir
l'ail et l'oignon 5 min. Incorporez les
lentilles, le bouillon, les raisins secs,
la coriandre et la purée de tomates ;
salez et poivrez. Portez à ébullition
puis baissez le feu, couvrez et laissez
mijoter 20 min environ.

3 Faites tremper le safran dans un peu
d'eau chaude. Dans un bol, mélangez le
jaune d'œuf et le yaourt, puis incorporez
2 cuil. à soupe bombées de riz cuit et
mélangez bien. Salez et poivrez.

4 Chauffez les deux tiers de l'huile
restante dans une grande casserole.
Éparpillez le mélange de riz à l'œuf
et au yaourt uniformément au fond
de la casserole.

CONSEIL
En Iran, ce plat se confectionne le plus
souvent avec du riz basmati blanc,
mais l'on peut également utiliser du riz
à longs grains ou encore du riz complet.

5 Étalez le reste de riz dans la casserole,
en alternant avec la préparation aux
lentilles. Superposez les couches en
formant une pyramide, afin que le riz
ne touche pas les parois. Terminez par
une couche de riz. À l'aide d'un long
manche de cuillère en bois, faites trois
trous jusqu'au fond de la casserole
et versez-y le ghee ou le beurre fondu.
Portez à feu vif puis enveloppez le
couvercle de la casserole d'un torchon
humide et posez-le dessus. Quand la
vapeur commence à bien sortir, baissez
le feu et laissez mijoter 30 min.

6 Pendant ce temps, faites dorer les
anneaux d'oignon dans le reste d'huile,
jusqu'à ce qu'ils soient croustillants.
Égouttez-les soigneusement. Retirez la
casserole de riz du feu, sans ôter le
couvercle, et plongez brièvement la
base dans un évier d'eau froide afin
que le riz se détache du fond. Passez
l'eau safranée dans un bol et incorporez
quelques cuillerées de riz blanc.

7 Mélangez le riz et les lentilles dans
la casserole et dressez dans un plat
de service en donnant au mélange une
forme de pyramide. Éparpillez le riz
safrané dessus. Cassez la croûte de riz
au fond de la casserole et disposez
les morceaux autour de la pyramide.
Parsemez le tout d'oignon frit et servez.

RIZ AUX FÈVES ET À L'ANETH

CETTE SPÉCIALITÉ IRANIENNE À BASE DE RIZ S'APPELLE LE BAGHALI POLO. *LES FÈVES, L'ANETH ET LES ÉPICES SE MARIENT À LA PERFECTION, TANDIS QUE LE SAFRAN AJOUTE UNE JOLIE TOUCHE DE COULEUR.*

POUR 4 PERSONNES

INGRÉDIENTS
275 g de riz basmati trempé
75 cl d'eau
40 g de beurre fondu
175 g de mini-fèves surgelées,
  décongelées et décortiquées
6 cuil. à soupe d'aneth frais haché,
  plus un brin pour la garniture
1 cuil. à café de cannelle
  moulue
1 cuil. à café de cumin moulu
2 à 3 stigmates de safran
  infusés dans 1 cuil. à soupe
  d'eau bouillante
sel

1 Égouttez le riz et versez-le dans une casserole. Mouillez avec l'eau et ajoutez un peu de sel. Portez à ébullition, puis baissez le feu au minimum et laissez mijoter 5 min. Égouttez, rincez à l'eau chaude et égouttez à nouveau.

2 Faites fondre le beurre dans une casserole antiadhérante. Transférez deux tiers du beurre fondu dans un petit pot et réservez. Étalez une fine couche de riz au fond de la casserole puis ajoutez un quart des fèves et un peu d'aneth. Étalez une nouvelle couche de riz, puis une couche de fèves et d'aneth. Continuez ainsi jusqu'à ce qu'il n'y ait plus de fèves ni d'aneth, et terminez par une couche de riz. Faites cuire 8 min à feu doux.

3 Versez le beurre réservé sur le riz. Saupoudrez de cannelle et de cumin moulus. Couvrez la casserole d'un torchon propre et d'un couvercle hermétique, en rabattant les coins du torchon sur le couvercle. Faites cuire 25 à 30 min à feu doux.

4 Incorporez environ 3 cuil. à soupe de riz cuit dans le bol d'eau safranée et mélangez bien. Dressez le reste de riz aux fèves en pyramide dans un plat et décorez avec le riz safrané. Servez immédiatement, garni d'un brin d'aneth.

ALMA-ATA

CE PLAT ORIGINAIRE D'ASIE CENTRALE COMBINE DE FAÇON SPECTACULAIRE LES FRUITS FRAIS ET OLÉAGINEUX DE CETTE RÉGION.

POUR 4 PERSONNES

INGRÉDIENTS

- 75 g d'amandes émondées
- 4 cuil. à soupe d'huile de tournesol
- 225 g de carottes détaillées en julienne
- 2 oignons hachés
- 115 g d'abricots secs hachés
- 50 g de raisins secs
- 350 g de riz basmati trempé
- 60 cl de bouillon de légumes
- 15 cl de jus d'orange
- le zeste râpé d'1 orange
- 25 g de pignons
- 1 pomme rouge à couteau coupée en dés
- sel et poivre noir fraîchement moulu

3 Mouillez avec le bouillon et le jus d'orange, sans cesser de remuer, puis incorporez le zeste d'orange. Réservez quelques amandes grillées pour la garniture et incorporez le reste avec les pignons. Couvrez la cocotte d'une double épaisseur de papier aluminium et de son couvercle. Enfournez 30 à 35 min, jusqu'à ce que le riz soit tendre et le liquide entièrement absorbé.

4 Retirez du four, assaisonnez et incorporez les dés de pomme. Servez directement dans la cocotte ou dressez dans un plat réchauffé et garnissez des amandes réservées.

1 Préchauffez le four à 160 °C (th. 5). Faites griller les amandes à sec dans une poêle pendant 4 à 5 min.

2 Chauffez l'huile dans une cocotte à fond épais et faites revenir les carottes et les oignons 6 à 8 min à feu moyen, jusqu'à ce qu'ils soient légèrement confits. Ajoutez les abricots, les raisins secs et le riz et prolongez la cuisson de quelques minutes à feu moyen, sans cesser de remuer.

VARIANTE

Pour un plat complet, ajoutez 450 g d'agneau détaillé en cubes. Une fois saisis dans la cocotte, transférez-les dans un plat pendant qu'oignons et carottes cuisent. Remettez la viande dans la cocotte au moment d'ajouter bouillon et jus d'orange.

PAELLA ROYALE

CETTE PAELLA RÉUNIT À ELLE SEULE CERTAINS DES MEILLEURS PRODUITS D'ESPAGNE. LE MÉLANGE DE POULET, DE LAPIN, DE FRUITS DE MER, DE LÉGUMES ET DE RIZ COMPOSE UN PLAT DE FÊTE HAUT EN COULEURS.

POUR 6 À 8 PERSONNES

INGRÉDIENTS

450 g de moules

6 cuil. à soupe de vin blanc

150 g de haricots verts coupés
en tronçons de 2,5 cm

115 g de fèves surgelées

6 petits blancs de poulet sans peau
ni os détaillés en gros morceaux

2 cuil. à soupe de farine assaisonnée
de sel et de poivre

environ 6 cuil. à soupe d'huile d'olive

6 à 8 grosses crevettes crues,
sans queue ni veine,
ou 12 petites crevettes crues

150 g de filet de porc détaillé en cubes

2 oignons hachés

2 à 3 gousses d'ail écrasées

1 poivron rouge épépiné et émincé

2 tomates bien mûres pelées,
épépinées et hachées

90 cl de bouillon de volaille bien
parfumé

une bonne pincée de safran infusé
dans 2 cuil. à soupe d'eau chaude

350 g de riz espagnol ou de riz
à risotto

225 g de chorizo coupé en épaisses
rondelles

115 g de petits pois surgelés

6 à 8 olives vertes fourrées détaillées
en rouelles

CONSEIL

Dans l'idéal, utilisez un plat spécial paella et évitez de remuer la préparation en cours de cuisson. Il se peut toutefois, pour des raisons de répartition de la chaleur, que le riz cuise au milieu mais pas sur les bords (cela ne se produit pas si la paella est cuite selon la méthode traditionnelle, dehors sur un grand feu de bois). Pour une cuisson uniforme, dérogez à la règle et remuez de temps en temps, ou bien cuisez la paella 15 à 18 min sur la base d'un four à gaz réglé à 190 °C (th. 6-7). Le résultat devrait être quasi identique, mais en Espagne, ce plat prendrait le nom d'*arroz* (riz) et non de paella.

1 Nettoyez les moules et éliminez celles qui ne se ferment pas quand on tape dessus. Mettez-les dans une grande casserole avec le vin, portez à ébullition puis couvrez partiellement et faites cuire 3 à 4 min, en remuant la casserole de temps en temps. Égouttez en réservant le jus de cuisson et en éliminant les moules qui sont restées fermées.

2 Faites blanchir les haricots et les fèves 2 à 3 min dans deux casseroles d'eau bouillante. Égouttez. Dès que les fèves sont suffisamment refroidies pour être manipulées, sortez-les de leur peau.

3 Saupoudrez le poulet de farine assaisonnée. Chauffez la moitié de l'huile dans un plat à paella ou dans une grande sauteuse et faites dorer le poulet. Transférez dans une assiette. Faites revenir brièvement les crevettes, en rajoutant de l'huile si nécessaire, puis transférez-les dans une assiette à l'aide d'une écumoire. Chauffez 2 cuil. à soupe d'huile dans la poêle et saisissez le porc. Transférez dans une autre assiette.

4 Chauffez le reste d'huile et faites dorer l'oignon et l'ail 3 à 4 min environ. Ajoutez le poivron rouge et prolongez la cuisson de 2 à 3 min avant d'incorporer les tomates. Faites cuire jusqu'à épaississement.

5 Mouillez avec le bouillon de volaille, le jus de cuisson des moules et l'eau safranée. Salez, poivrez et portez à ébullition. Quand le liquide bout, jeter le riz et remuez immédiatement avant d'ajouter le poulet, le porc, les crevettes, les haricots, le chorizo et les petits pois. Faites cuire 12 min à feu moyen-vif puis prolongez la cuisson de 8 à 10 min à feu doux, jusqu'à ce que tout le liquide soit absorbé.

6 Ajoutez les moules et les olives et réchauffez le tout pendant 3 à 4 min. Retirez la poêle du feu, couvrez d'un torchon humide et laissez reposer 10 min avant de servir directement dans la poêle.

CANARD AU RIZ À LA PÉRUVIENNE

CE PLAT RICHE BÉNÉFICIE DE LA BELLE COULEUR DES TOMATES D'ESPAGNE ET DES HERBES AROMATIQUES.

POUR 4 À 6 PERSONNES

INGRÉDIENTS

- 4 magrets de canard désossés
- 1 oignon rouge haché
- 2 gousses d'ail écrasées
- 2 cuil. à café de gingembre frais râpé
- 4 tomates (éventuellement pelées) hachées
- 225 g de courge Kabocha détaillée en cubes d'1 cm
- 275 g de riz à longs grains
- 75 cl de bouillon de volaille
- 1 cuil. à soupe de coriandre fraîche hachée
- 1 cuil. à soupe de menthe fraîche hachée
- sel et poivre noir fraîchement moulu

2 Versez la graisse fondue dans un récipient, en en laissant 1 cuil. à soupe dans la poêle. Faites dorer les magrets, côté chair dessous, 3 à 4 min dans leur graisse. Transférez sur une planche et détaillez-les en tranches épaisses ; réservez dans une assiette. Déglacez la poêle et versez ce jus sur la viande.

4 Incorporez la courge et faites-la revenir quelques minutes en remuant, puis couvrez et braisez 4 min environ.

5 Incorporez le riz et remuez jusqu'à ce qu'il soit bien enduit de tomates et d'oignon. Mouillez avec le bouillon puis remettez le canard ; salez et poivrez.

1 Chauffez une poêle à fond épais ou une cocotte. Avec un couteau tranchant, incisez le côté gras des magrets en croisillons. Frottez le gras avec un peu de sel puis faites suer le canard, côté peau en dessous, 6 à 8 min environ.

3 Faites fondre l'oignon et l'ail 4 à 5 min dans la poêle, en rajoutant un peu de graisse de canard si nécessaire. Incorporez le gingembre et prolongez la cuisson d'1 à 2 min. Ajoutez les tomates et faites cuire encore 2 min en remuant.

6 Portez à ébullition puis baissez le feu, couvrez et laissez mijoter 30 à 35 min jusqu'à ce que le riz soit tendre. Incorporez la coriandre et la menthe juste avant de servir.

CONSEIL

À la différence du riz, la courge est un légume qui pousse en Amérique du Sud. Dans cette recette, on peut la remplacer par du potiron. La courge Kabocha possède une peau épaisse et beaucoup de pépins, qui doivent être ôtés avant de détailler la chair en cubes.

VARIANTE

Au Pérou, ce type de plat « tout-en-un » est fonction de la viande disponible dans les boutiques, ou, dans le cas des légumes, de ce qui pousse dans le jardin. On peut remplacer le canard par du poulet ou du lapin, et, à défaut de courge, utiliser des courgettes et des carottes.

RIZ CAJUN

L'AUBERGINE ET LE PORC S'ASSOCIENT À DES ÉPICES ET DES FINES HERBES POUR COMPOSER CE PLAT PARFUMÉ.

POUR 4 PERSONNES

INGRÉDIENTS

  4 cuil. à soupe d'huile végétale
  1 oignon haché
  1 petite aubergine coupée en dés
  225 g de porc haché
  1 poivron vert épépiné et haché
  2 branches de céleri hachées
  1 gousse d'ail écrasée
  1 cuil. à café de piment de Cayenne
  1 cuil. à café de paprika
  1 cuil. à café de poivre noir
   fraîchement moulu
  1/2 cuil. à café de sel
  1 cuil. à café de thym séché
  1/2 cuil. à café d'origan séché
  50 cl de bouillon de volaille
  225 g de foies de volaille hachés
  150 g de riz à longs grains
  1 feuille de laurier
  3 cuil. à soupe de persil frais haché

1 Chauffez l'huile dans une poêle
et faites revenir l'oignon et l'aubergine
5 min environ.

2 Ajoutez le porc et saisissez-le
6 à 8 min, en écrasant les grumeaux
à l'aide d'une fourchette.

3 Incorporez le poivron, le céleri et l'ail,
ainsi que les épices et les fines herbes.
Couvrez et faites cuire 9 à 10 min à feu
vif, en raclant fréquemment le fond de
la poêle pour détacher les grains grillés.

4 Mouillez avec le bouillon et remuez
bien pour détacher le fond de la poêle.
Couvrez et faites cuire 6 min à feu
moyen. Incorporez les foies et prolongez
la cuisson de 2 min.

5 Incorporez le riz et la feuille de
laurier. Baissez le feu, couvrez et
laissez mijoter 6 à 7 min. Éteignez
le feu et laissez reposer 10 à 15 min
à couvert, jusqu'à ce que le riz soit
bien tendre. Retirez la feuille de laurier
et incorporez le persil haché. Servez
bien chaud.

GRATIN DE RIZ AU SAUMON

CE PLAT COMPLET EST IDÉAL POUR UN DÎNER ENTRE AMIS CAR IL PEUT SE PRÉPARER À L'AVANCE ET SE RÉCHAUFFER UNE DEMI-HEURE AVANT D'ÊTRE SERVI AVEC UNE SALADE VERTE.

POUR 6 PERSONNES

INGRÉDIENTS

675 g de filet de saumon frais
    écaillé
1 feuille de laurier
quelques brins de persil
1 l d'eau
400 g de riz basmati trempé
    et égoutté
2 à 3 cuil. à soupe de persil frais
    haché, plus un peu pour la
    garniture
175 g de gruyère râpé
3 œufs durs hachés
sel et poivre noir fraîchement moulu
Pour la béchamel
1 l de lait
40 g de farine
40 g de beurre
1 cuil. à café de pâte de curry douce
    ou de moutarde

1 Mettez le saumon dans une grande sauteuse et ajoutez le laurier, les brins de persil, le sel et le poivre. Mouillez avec l'eau et portez au point d'ébullition. Pochez le poisson 12 min environ, jusqu'à ce qu'il soit juste tendre.

2 À l'aide d'une écumoire, retirez le poisson de la poêle et passez le jus de cuisson dans une casserole. Laissez refroidir le poisson, puis retirez les arêtes visibles et émiettez délicatement la chair à la fourchette.

3 Égouttez le riz et mettez-le dans la casserole contenant l'eau de cuisson du poisson. Portez à ébullition, puis baissez le feu, couvrez et laissez mijoter 10 min sans retirer le couvercle.

4 Retirez la casserole du feu et, sans ôter le couvercle, laissez reposer le riz 5 min.

5 Préparez la béchamel : mélangez le lait, la farine et le beurre dans une casserole. Portez à ébullition à feu doux, en battant constamment jusqu'à ce que la sauce soit lisse et épaisse. Incorporez la pâte de curry ou la moutarde, salez et poivrez. Laissez frémir 2 min.

6 Préchauffez le gril. Retirez la béchamel du feu et incorporez le persil haché et le riz, avec la moitié du fromage. À l'aide d'une grande cuillère en métal, incorporez les miettes de saumon et les œufs. Versez dans un plat à gratin et saupoudrez avec le reste de fromage. Enfournez sous le gril jusqu'à ce que le dessus soit bien doré et fasse des bulles. Servez dans les assiettes individuelles, parsemé de persil haché.

VARIANTES
On peut remplacer le saumon par des crevettes et le gruyère par d'autres fromages à pâte dure, comme le cheddar, la mimolette ou le comté.

JAMBALAYA AU POULET ET AUX CREVETTES

LE MÉLANGE DE POULET, DE FRUITS DE MER ET DE RIZ ÉVOQUE LA PAELLA ESPAGNOLE, MAIS LE NOM DE CETTE SPÉCIALITÉ CRÉOLE PROVIENT PLUS CERTAINEMENT DE « JAMBON » ET DE « À LA YA » (RIZ EN CRÉOLE). LE JAMBALAYA EST UN MÉLANGE COLORÉ D'INGRÉDIENTS TRÈS PARFUMÉS, QUE L'ON FAIT TOUJOURS EN QUANTITÉ POUR LES REPAS DE FÊTE ET LES GRANDES OCCASIONS.

POUR 10 PERSONNES

INGRÉDIENTS

  2 poulets d'environ 1,5 kg chaque
  450 g de gibier cru fumé
  50 g de saindoux ou de gras
    de bacon
  50 g de farine
  3 oignons moyens finement émincés
  2 poivrons verts épépinés et émincés
  675 g de tomates pelées et hachées
  2 à 3 gousses d'ail écrasées
  2 cuil. à café de thym frais haché
    ou 1 cuil. à café de thym séché
  24 grosses crevettes décortiquées,
    veine ôtée
  500 g de riz blanc à longs grains
  1,2 l d'eau
  quelques gouttes de Tabasco
  3 cuil. à soupe de persil plat frais
    haché, plus quelques petits brins
    pour la garniture
  sel et poivre noir fraîchement moulu

4 Ajoutez les dés de gibier, l'oignon, le poivron vert, les tomates, l'ail et le thym. Faites cuire 10 min en remuant souvent, puis incorporez les crevettes et mélangez.

5 Incorporez le riz et mouillez avec l'eau. Salez, poivrez et assaisonnez de Tabasco. Portez à ébullition puis laissez mijoter à feu doux jusqu'à ce que le riz soit tendre et que tout le liquide soit absorbé. Rajoutez un peu d'eau si le riz est sec avant d'être cuit.

6 Incorporez le persil, garnissez le plat de quelques brins et servez immédiatement.

1 Coupez chaque poulet en 10 morceaux, salez et poivrez. Détaillez le gibier en dés, en éliminant la couenne et le gras.

2 Faites fondre le saindoux ou le gras de bacon dans une grande sauteuse. Ajoutez le poulet, faites-le dorer sur toutes ses faces puis retirez-le à l'aide d'une écumoire et réservez.

3 Baissez le feu. Saupoudrez la farine dans la graisse de la poêle et remuez jusqu'à ce que le roux prenne une teinte dorée. Remettez le poulet dans la poêle.

RIZ À LA PROVENÇALE

LA CUISINE DU SUD DE LA FRANCE EST TOUJOURS RICHE EN COULEURS, ET CETTE SPÉCIALITÉ NE FAIT PAS EXCEPTION. POUR LE SERVIR COMME PLAT PRINCIPAL, PRÉVOYEZ 50 G DE RIZ PAR PERSONNE.

POUR 4 PERSONNES

INGRÉDIENTS

2 oignons

6 cuil. à soupe d'huile d'olive

175 g de riz complet à longs grains

2 cuil. à café de graines de moutarde

50 cl de bouillon de légumes

1 gros ou 2 petits poivron(s) rouge(s) épépiné(s) et détaillé(s) en morceaux

1 petite aubergine détaillée en cubes

2 à 3 courgettes émincées

environ 12 tomates cerises

5 à 6 feuilles de basilic fraîches ciselées

2 gousses d'ail finement hachées

4 cuil. à soupe de vin blanc

4 cuil. à soupe de passata ou de jus de tomate

2 œufs durs coupés en quartiers

8 olives vertes fourrées émincées

1 cuil. à soupe de câpres

3 tomates séchées au soleil et marinées dans l'huile, émincées (facultatif)

beurre

sel et poivre noir fraîchement moulu

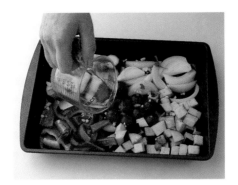

3 Pendant ce temps, coupez l'oignon restant en quartiers. Mettez-les dans un plat à rôtir avec les poivrons, l'aubergine, les courgettes et les tomates cerises. Parsemez de basilic et d'ail hachés. Versez le reste d'huile dessus et saupoudrez de sel et de poivre noir. Enfournez 15 à 20 min, jusqu'à ce que les légumes commencent à griller, en remuant à mi-cuisson. Baissez la température du four à 180 °C (th. 6).

4 Versez le riz dans un plat en terre cuite. Disposez les légumes grillés dessus, avec leur jus de cuisson, puis mouillez avec le vin et la passata.

5 Disposez les quartiers d'œuf sur les légumes, ainsi que les olives en rouelles, les câpres et les tomates séchées, le cas échéant. Parsemez de beurre, couvrez et enfournez à nouveau 15 à 20 min pour réchauffer le tout.

1 Préchauffez le four à 200 °C (th. 7). Hachez finement un oignon. Chauffez 2 cuil. à soupe d'huile dans une casserole et faites fondre l'oignon 5 à 6 min à feu doux.

2 Ajoutez le riz, les graines de moutarde, et remuez 2 min avant d'incorporer le bouillon et un peu de sel. Portez à ébullition puis baissez le feu, couvrez et laissez mijoter 35 min environ.

RIZ ROUGE ET SALADE DE POIVRONS GRILLÉS

LES POIVRONS, LES TOMATES SÉCHÉES ET L'AIL CONFÈRENT UN PETIT GOÛT MÉDITERRANÉEN À CETTE DÉLICIEUSE SALADE. ELLE ACCOMPAGNERA PARFAITEMENT DES SAUCISSES ÉPICÉES OU DU POISSON.

POUR 4 PERSONNES

INGRÉDIENTS

225 g de riz rouge de Camargue
bouillon de légumes ou de volaille,
  ou eau (voir recette)
3 cuil. à soupe d'huile d'olive
3 poivrons rouges épépinés
  et émincés en lanières
4 à 5 tomates séchées au soleil
4 à 5 gousses d'ail entières non pelées
1 oignon haché
2 cuil. à soupe de persil frais haché,
  plus un peu pour la garniture
1 cuil. à soupe de coriandre fraîche
  hachée
2 cuil. à café de vinaigre balsamique
sel et poivre noir fraîchement moulu

1 Faites cuire le riz dans le bouillon ou l'eau, en suivant les instructions du paquet. Chauffez l'huile dans une poêle et faites revenir les poivrons 4 min à feu moyen, en secouant la poêle de temps en temps.

2 Baissez le feu puis ajoutez les tomates séchées, les gousses d'ail et l'oignon. Couvrez et prolongez la cuisson de 8 à 10 min, en remuant de temps en temps. Retirez le couvercle et faites cuire encore 3 min.

3 Hors du feu, incorporez le persil, la coriandre et le vinaigre ; salez et poivrez. Dressez le riz dans un plat de service et garnissez-le de poivrons. Pelez les gousses d'ail, coupez la chair en tranches et parsemez-les sur la salade. Servez à température ambiante, garni d'un peu de persil.

RIZ PILAF AUX FRUITS DE MER

CE PLAT S'INSPIRE DE DIVERS HORIZONS CULINAIRES : LA MÉTHODE PROVIENT D'INDE ET UTILISE SON RIZ BASMATI, MAIS LE VIN ET LA SAUCE À LA CRÈME ÉVOQUENT SANS CONTESTE LA CUISINE FRANÇAISE.

POUR 4 À 6 PERSONNES

INGRÉDIENTS

450 g de moules fraîches nettoyées
35 cl de vin blanc
1 brin de persil frais
environ 675 g de saumon
225 g de noix de Saint-Jacques
1 cuil. à soupe d'huile d'olive
40 g de beurre
2 échalotes finement hachées
225 g de petits champignons
  de Paris, coupés en deux pour
  les plus gros
275 g de riz basmati trempé
  et égoutté
30 cl de fumet de poisson
15 cl de crème fraîche
1 cuil. à soupe de persil frais haché
225 g de grosses crevettes cuites
  décortiquées, veine ôtée
sel et poivre noir fraîchement moulu
brins de persil plat frais, pour
  la garniture

1 Préchauffez le four à 160 °C (th. 5). Mettez les moules dans une casserole avec 6 cuil. à soupe de vin et le persil, couvrez et faites cuire 4 à 5 min jusqu'à ce qu'elles soient ouvertes. Égouttez en réservant le jus de cuisson. Retirez les moules de leur coquille et éliminez celles qui sont restées fermées.

2 Détaillez le poisson en morceaux de la taille d'une bouchée. Détachez le corail des noix de Saint-Jacques et détaillez la chair blanche en gros morceaux.

3 Chauffez la moitié de l'huile d'olive et le beurre et faites revenir les échalotes et les champignons 3 à 4 min. Transférez dans une jatte. Chauffez le reste d'huile dans une poêle et faites revenir le riz 2 à 3 min en remuant, afin de bien l'enduire. Versez le riz dans une cocotte.

4 Versez le bouillon, le reste de vin et le jus de cuisson des moules dans la poêle, et portez à ébullition. Hors du feu, incorporez la crème et le persil ; assaisonnez légèrement. Versez la sauce sur le riz puis ajoutez le saumon et les noix de Saint-Jacques ainsi que la préparation aux champignons. Mélangez délicatement le tout.

5 Couvrez la cocotte hermétiquement et enfournez 30 à 35 min avant d'ajouter les coraux. Remettez 4 min au four. Ajoutez les moules et les crevettes et prolongez la cuisson de 3 à 4 min, jusqu'à ce que le tout soit réchauffé et le riz tendre. Servez garni de brins de persil.

AGNEAU AFRICAIN AU PILAF DE LÉGUMES

CETTE SPÉCIALITÉ AFRICAINE COMBINE DE L'AGNEAU ÉPICÉ, DU RIZ BASMATI ET UN CHOIX COLORÉ DE DIVERS LÉGUMES FRAIS ET NOIX DE CAJOU. EN AFRIQUE, LE RIZ ET L'AGNEAU SONT SOUVENT ASSOCIÉS.

POUR 4 PERSONNES

INGRÉDIENTS

450 g d'épaule d'agneau désossée
et détaillée en cubes
1/2 cuil. à café de thym séché
1/2 cuil. à café de paprika
1 cuil. à café de garam massala
1 gousse d'ail écrasée
1 cuil. à soupe 1/2 d'huile végétale
90 cl de bouillon d'agneau
chou frisé ou feuilles de laitue
croquantes, pour la garniture

Pour le riz

25 g de beurre
1 oignon haché
1 pomme de terre moyenne hachée
1 carotte émincée
1/2 poivron rouge épépiné
et haché
1 piment vert frais épépiné
et haché
115 g de chou vert émincé
4 cuil. à soupe de yaourt nature
1/2 cuil. à café de cumin moulu
5 capsules de cardamome verte
2 gousses d'ail écrasées
225 g de riz basmati trempé
environ 50 g de noix de cajou
sel et poivre noir fraîchement moulu

1 Mettez les cubes d'agneau dans une jatte avec le thym, le paprika, le garam massala, l'ail et beaucoup de sel et de poivre. Remuez, couvrez et laissez reposer au frais 2 à 3 h.

2 Chauffez l'huile dans une casserole et saisissez l'agneau 5 à 6 min à feu moyen, en plusieurs fois si nécessaire. Mouillez avec le bouillon puis couvrez et faites cuire 35 à 40 min. À l'aide d'une écumoire, transférez la viande dans une jatte. Versez le bouillon dans un verre mesureur et rajoutez éventuellement de l'eau pour obtenir 60 cl.

CONSEIL
Si le bouillon rendu par l'agneau vous paraît un peu gras, absorbez l'excédent de graisse en surface avec un papier absorbant avant de le verser dans le verre mesureur.

3 Faites fondre le beurre dans une autre casserole et faites revenir l'oignon, la pomme de terre et la carotte 5 min. Ajoutez le poivron rouge et le piment et faites-les revenir 3 min, puis incorporez le chou, le yaourt, les épices, l'ail et le bouillon réservé. Remuez bien, couvrez et laissez mijoter 5 à 10 min à feu doux, jusqu'à ce que le chou soit ramolli.

4 Égouttez le riz et incorporez-le dans le ragoût. Couvrez et prolongez la cuisson de 20 min à feu très doux. Parsemez de noix de cajou et vérifiez l'assaisonnement. Servez bien chaud sur un lit de feuilles de chou ou de laitue.

RIZ SAUVAGE PILAF

LE RIZ SAUVAGE N'EST EN FAIT PAS DU RIZ, MAIS UN TYPE DE GRAMINÉE SAUVAGE. QUOI QU'IL EN SOIT,
IL CONFÈRE UN DÉLICIEUX PETIT GOÛT DE NOISETTE AU RIZ BLANC DE CETTE RECETTE AUX FRUITS SECS.
SERVEZ-LE EN ACCOMPAGNEMENT.

POUR 6 PERSONNES

INGRÉDIENTS
200 g de riz sauvage
40 g de beurre
1/2 oignon finement haché
200 g de riz à longs grains
50 cl de bouillon de volaille
75 g d'amandes émincées
  ou effilées
115 g de raisins de Smyrne
2 cuil. à soupe de persil frais haché
sel et poivre noir fraîchement moulu

1 Portez une casserole d'eau à ébullition,
puis ajoutez le riz sauvage et 1 cuil. à café
de sel. Baissez le feu, couvrez et laissez
mijoter 45 à 60 min à feu doux, jusqu'à
ce que le riz soit tendre. Égouttez bien.

2 Pendant ce temps, faites fondre 15 g
de beurre dans une autre casserole
et faites revenir l'oignon environ 5 min
à feu moyen. Incorporez le riz à longs
grains et prolongez la cuisson d'1 min.

3 Mouillez avec le bouillon et portez
à ébullition. Couvrez et laissez mijoter
30 à 40 min, jusqu'à ce que le riz
soit tendre et le liquide entièrement
absorbé.

CONSEIL
Comme tous les plats de riz, celui-ci doit
être confectionné avec un bouillon bien
parfumé. Si vous n'avez pas le temps de
le faire, achetez un bouillon de qualité
en brique ou en boîte.

4 Faites fondre le reste de beurre dans
une petite casserole et faites-y dorer
les amandes. Réservez.

5 Mettez les deux riz dans une jatte
puis ajoutez les amandes, les raisins
secs et la moitié du persil ; remuez bien.
Rectifiez l'assaisonnement si nécessaire.
Dressez le tout dans un plat réchauffé
et parsemez du reste de persil.

PAELLA MAROCAINE

LA PAELLA EST UN PLAT DONT LA RÉPUTATION N'EST PLUS À FAIRE. CETTE VERSION, CUISINÉE AVEC DU RIZ À LONGS GRAINS, A TRAVERSÉ LA MER POUR S'IMPRÉGNER D'EFFLUVES MAROCAINES.

POUR 6 PERSONNES

INGRÉDIENTS
2 gros blancs de poulet sans peau
  ni os
150 g de calamars détaillés en anneaux
275 g de filets de haddock écaillés
  et détaillés en morceaux
8 à 10 gambas décortiquées
8 noix de Saint-Jacques coupées
  en deux
350 g de moules fraîches
250 g de riz blanc à longs grains
2 cuil. à soupe d'huile de tournesol
1 botte d'oignons nouveaux émincés
  en anneaux
2 petites courgettes détaillées
  en lanières
1 poivron rouge épépiné et détaillé
  en lanières
40 cl de bouillon de volaille
25 cl de passata
sel et poivre noir fraîchement moulu
brins de coriandre frais et quartiers
  de citron, pour la garniture
Pour la marinade
2 piments rouges frais épépinés
  et grossièrement hachés
une généreuse poignée de coriandre
  fraîche
2 à 3 cuil. à café de cumin moulu
1 cuil. à soupe de paprika
2 gousses d'ail
3 cuil. à soupe d'huile d'olive
4 cuil. à soupe d'huile de tournesol
le jus d'1 citron

1 Préparez la marinade : réunissez tous les ingrédients dans un mixeur avec 1 cuil. à café de sel et mixez jusqu'à obtention d'un mélange homogène. Découpez le poulet en morceaux de la taille d'une bouchée, et réservez dans une jatte.

2 Mettez le poisson et les fruits de mer (à l'exception des moules) dans une autre jatte en verre. Partagez la marinade entre le poisson et le poulet et remuez bien. Couvrez d'un film transparent et laissez mariner au moins 2 h.

3 Nettoyez les moules en éliminant celles qui ne se referment pas quand on tape dessus. Réservez-les au réfrigérateur. Mettez le riz dans une jatte, couvrez-le d'eau bouillante et laissez-le reposer 30 min environ. Égouttez le poisson et le poulet en réservant la marinade. Chauffez l'huile dans un wok, un balti ou un plat à paella et faites dorer le poulet quelques minutes.

4 Ajoutez les oignons nouveaux et faites-les revenir 1 min. Ajoutez ensuite les courgettes et le poivron rouge et faites-les fondre 3 à 4 min. Transférez le poulet et les légumes dans des plats séparés.

5 Versez toute la marinade dans la casserole et faites cuire 1 min. Égouttez le riz, mettez-le dans la casserole et prolongez la cuisson d'1 min. Ajoutez le bouillon de volaille, la passata et le poulet réservé ; salez, poivrez et remuez bien le tout. Portez à ébullition, puis couvrez la casserole et laissez mijoter 10 à 15 min à feu très doux, jusqu'à ce que le riz soit presque tendre.

6 Incorporez les légumes réservés et disposez les poissons et les moules sur le tout. Couvrez de nouveau et faites cuire 10 à 12 min à feu moyen, jusqu'à ce que le poisson soit cuit et les moules ouvertes (éliminez celles qui sont restées fermées). Servez garni de coriandre fraîche et de quartiers de citron.

POULET ANTILLAIS AU RIZ ET POIS CAJANS

GARNI DE POULET ÉPICÉ ET CARAMÉLISÉ, CE PLAT DE LÉGUMES AUX PARFUMS DES ANTILLES FERA UN PLAT COMPLET POUR LE DÎNER. LES POIS CAJANS SONT UN INGRÉDIENT TRADITIONNEL DE LA CUISINE CRÉOLE.

POUR 4 PERSONNES

INGRÉDIENTS

1 cuil. à café de poivre de la
  Jamaïque
1/2 cuil. à café de cannelle moulue
1 cuil. à café de thym séché
une pincée de clous de girofle moulus
1/4 de cuil. à café de muscade
  fraîchement râpée
4 blancs de poulet sans peau ni os
3 cuil. à soupe d'huile d'arachide
  ou de tournesol
15 g de beurre
1 oignon haché
2 gousses d'ail écrasées
1 carotte coupée en petits dés
1 branche de céleri hachée
3 oignons nouveaux hachés
1 piment rouge frais épépiné
  et finement émincé
400 g de pois cajans
225 g de riz à longs grains
12 cl de lait de coco
60 cl de bouillon de volaille
2 cuil. à café de cassonade
sel et piment de Cayenne

1 Mélangez le poivre de la Jamaïque, la cannelle, le thym, les clous de girofle et la muscade. Enduisez le poulet de ce mélange et laissez reposer 30 min.

2 Chauffez 1 cuil. à soupe d'huile d'olive et le beurre dans une casserole et faites dorer l'oignon et l'ail à feu moyen. Ajoutez la carotte, le céleri, les oignons nouveaux et le piment. Faites sauter le tout quelques minutes puis incorporez les pois cajans, le riz, le lait de coco et le bouillon ; assaisonnez de sel et de piment de Cayenne. Portez au point d'ébullition et laissez mijoter 25 min à feu doux.

CONSEIL

Les pois cajans sont parfois appelés pois gungo, notamment dans les marchés ethniques. À défaut, utilisez des haricots borlotti.

3 Environ 10 min avant la fin de la cuisson, chauffez le reste d'huile dans une poêle épaisse, ajoutez le sucre et laissez caraméliser légèrement sans remuer.

4 Ajoutez délicatement le poulet dans la poêle et faites-le cuire 8 à 10 min ; il doit être doré, caramélisé et parfaitement cuit. Transférez le poulet sur une planche et émincez-le grossièrement. Répartissez le riz aux pois cajans dans les assiettes et garnissez-le de morceaux de poulet.

RIZ AUX LÉGUMES TANZANIEN

Ce plat sera délicieux en accompagnement d'un poulet ou d'un poisson. Incorporez les légumes en fin de cuisson, afin qu'ils restent croquants.

POUR 4 PERSONNES

INGRÉDIENTS
350 g de riz basmati
3 cuil. à soupe d'huile végétale
1 oignon haché
2 gousses d'ail écrasées
75 cl de bouillon de légumes
  ou d'eau
115 g de maïs frais ou en conserve
1/2 poivron rouge ou vert épépiné
  et haché
1 belle carotte râpée
brins de cerfeuil frais, pour
  la garniture

1 Dans une passoire, rincez le riz à l'eau froide courante, puis laissez s'égoutter 15 min environ.

2 Chauffez l'huile dans une grande casserole et faites fondre l'oignon quelques minutes à feu moyen.

3 Ajoutez le riz et faites-le revenir 10 min, sans cesser de remuer afin qu'il n'attache pas. Incorporez l'ail écrasé.

4 Mouillez avec le bouillon ou l'eau et remuez bien. Portez à ébullition puis baissez le feu, couvrez et laissez frémir 10 min.

5 Versez le maïs sur le riz et parsemez le tout de poivron haché, puis de carotte râpée. Couvrez la casserole hermétiquement et faites cuire à feu doux jusqu'à ce que le riz soit tendre. Mélangez le tout à la fourchette, dressez dans un plat et garnissez de cerfeuil. Servez sans attendre.

POULET ANTILLAIS AUX CACAHUÈTES

LE BEURRE DE CACAHUÈTES S'EMPLOIE ABONDAMMENT DANS LA CUISINE ANTILLAISE. IL AJOUTE DE L'ONCTUOSITÉ ET DU GOÛT À TOUS LES PLATS QUI L'UTILISENT.

POUR 4 PERSONNES

INGRÉDIENTS

4 blancs de poulet sans peau ni os
   détaillés en fines lanières
225 g de riz blanc à longs grains
2 cuil. à soupe d'huile d'arachide
15 g de beurre, plus un peu
   pour beurrer la cocotte
1 oignon finement haché
2 tomates pelées, épépinées
   et hachées
1 piment vert frais épépiné
   et émincé
4 cuil. à soupe de beurre
   de cacahuètes lisse
45 cl de bouillon de volaille
jus de citron, selon le goût
sel et poivre noir fraîchement moulu
quartiers de citron vert et brins de
   persil plat frais, pour la garniture
Pour la marinade
1 cuil. à soupe d'huile de tournesol
1 à 2 gousse(s) d'ail écrasée(s)
1 cuil. à café de thym frais haché
1 cuil. à soupe 1/2 de curry
   en poudre
le jus d'1/2 citron

1 Mélangez tous les ingrédients de la marinade dans une jatte et incorporez le poulet. Couvrez de film transparent et laissez reposer 2 à 3 h au frais.

2 Pendant ce temps, faites cuire le riz à l'eau bouillante salée. Égouttez et mettez dans une cocotte généreusement beurrée.

3 Préchauffez le four à 180 °C (th. 6). Chauffez 1 cuil. à soupe d'huile et le beurre dans une autre cocotte et faites dorer les morceaux de poulet 4 à 5 min, en rajoutant de l'huile si nécessaire.

4 Transférez le poulet dans un plat. Ajoutez les oignons dans la cocotte et faites les dorer 5 à 6 min, en rajoutant de l'huile si nécessaire. Incorporez les tomates et le piment. Faites cuire 3 à 4 min à feu doux, en remuant de temps en temps. Retirez du feu.

5 Délayez le beurre de cacahuètes dans le bouillon de volaille. Incorporez le tout dans le mélange de tomates et d'oignon, puis ajoutez le poulet. Incorporez le jus de citron, salez, poivrez puis dressez la préparation sur le riz dans l'autre cocotte.

6 Couvrez la cocotte et enfournez 15 à 20 min jusqu'à ce que le riz soit très chaud. Mélangez le riz et le poulet à l'aide d'une grande cuillère et servez immédiatement, garni de quartiers de citron vert et de brins de persil.

CONSEIL

Si la cocotte n'est pas assez grande pour mélanger tous les ingrédients avant de servir, posez un grand plat creux à l'envers sur la cocotte, retournez le tout et mélangez la préparation dans le plat.

INDEX